La pause

Du même auteur
aux Éditions J'ai lu

Camping Atlantic, *J'ai lu* 8655

ARIEL
KENIG

La pause

À Nicolas Pages,
né le 20 juillet 1970 à Lausanne.
À A.

Je voudrais demander aux gens qui liront ces lignes de m'aider à un projet que j'ai depuis trois ans, depuis l'annonce de la fermeture des usines Renault à Billancourt. Il s'agirait de consigner les noms et prénoms de toutes les femmes et de tous les hommes qui ont passé leur existence entière dans cette usine nationale de renommée mondiale. Cela, depuis le début du siècle, depuis la fondation des usines Renault à Boulogne-Billancourt.

Ce serait une liste exhaustive, sans commentaire aucun.

On devrait atteindre le chiffre d'une grande capitale. Aucun texte ne pourrait contrebalancer ce fait du chiffre, du travail chez Renault, la peine totale, la vie.

Marguerite DURAS, *Écrire*

Les fins sont des menteuses, des adages inutiles, des clichés creux, des morales nigaudes que l'on ressasse et brandit comme des bannières, des formules pour rassurer le bon peuple. Généralement les fins sont des prisons, des chasses d'eau tirées sur la mémoire, ça tombe sans prévenir et c'est foutu, plus rien à faire. L'inachevé dérange quand le fini conforte. Les fins sont des immeubles propres et blancs, du béton coulé sur des images racornies d'hommes en blouses marronnasses, suspendus à leurs grues jaunes, orange, prêts à mourir du vide.

Il n'y a pas de hasard : puisque aucun jeune du quartier ne se considère en construction, aucun n'a jamais eu la curiosité de visiter un chantier. Quand ils se regroupent et discutent, on n'entend que des phrases toutes faites, des conclusions aussi dissuasives que des lignes de démarcation mais des phrases sans puissance dès que l'on piétine la frontière qui sépare la finitude du mouvement.

Jour 1

Dans un verre d'eau, trois minutes suffisent à la dissolution d'un cachet d'aspirine. Le temps que la pastille disparaisse, la douleur réveille une migraine d'enfance. Un marteau-piqueur me perfore la cervelle. Ça me cogne le front comme une balançoire jetée sur un mur. Ça m'écorche le crâne comme on s'érafle les genoux, par terre, à compter les cailloux. Petit, je ne montais ni sur les tourniquets, ni sur les grands huit, ni sur les manèges dont les adeptes m'effrayaient. Ils paniquaient. Leurs cris concentriques et réglés me repoussaient de ces attractions. Je pressentais bien que le monde n'était pas tranquille et je craignais les dadas pour enfants comme des engins de torture, si bien que la seule fois où je me suis accroché à la crinière d'un cheval en bois verni, j'ai hurlé un jour entier toute la violence absorbée.

Ici, ça n'a jamais été que brouillard d'hommes, crasse d'usine et peaux d'huile. Une noirceur ouvrière dont la part visible, la production, n'est qu'un tas de biens de consommation durable. Des véhicules clinquants, en l'occurrence, à la tôle si reluisante qu'à mater ces voitures en vitrine, on n'imagine pas qu'un moteur à essence se cache sous le capot. Et, plus impensable encore, que des milliers d'hommes fabriquent de leurs mains charbonneuses ces portières de carrosse. Comme un arbre en bordure de forêt, les voitures cachent la rouille humaine, suante, le remugle. Mon père.

Je ne mentirai pas. À l'époque, j'éprouvais du plaisir quand il m'emmenait visiter des gratte-ciel déjà livrés, inaugurés, ou quand je lui tendais mon bulletin de notes pas trop mal foutu, imprimé, signé, plié, envoyé et reçu dans la boîte aux lettres ou encore, parmi les joies du fini, quand j'empochais les profits du jeu et rentrais chez moi le pantalon rempli de billes rares et translucides. Mais c'était oublier qu'un entraînement précédait toute victoire sur l'adversaire, c'était nier qu'un travail continu devançait tout diplôme et, de la même manière, c'était omettre qu'avant de poser la première pierre d'une tour il y avait un homme, toujours, un homme comme mon père pour tailler dans la falaise.

Allongé sur le canapé, le cerveau nettoyé à l'aspirine avalée d'une traite, je me dis que je ferais mieux de me satisfaire des petites joies de la vie courante mais une menace m'en empêche. Depuis quelques jours, quand je ferme les yeux, une nouvelle fin s'annonce. Je la vois : une fin de plus, un trou qui s'élargit et m'angoisse, une bouche d'égout. Alors, en réponse à cette peur, j'ai tout quitté comme l'on quitte quelqu'un pour de vrai, quand l'être aimé dans sa caresse use tant la peau que le désir se désagrège. Tout à l'heure, si mon souvenir est juste, mon début de migraine n'était qu'une réaction contre ce sentiment large et envahissant de fin. Je ne m'attendais pas à ce que l'on me prévienne : ma tête tintait sa cloche. Une alarme d'incendie. Ainsi, j'ai déserté le quartier comme on évacue une barre d'immeuble avant son implosion. Je ne redescendrai plus. Je me suis enfermé pour ne rien retenir de ces conversations, ces détails et ces gens dont on s'imprègne pour finir, au coucher, aplati sous des millions de pixels et d'opinions. De ces dernières minutes au-dehors je n'ai rien gardé. Aucune image, bien qu'il y eût une photo à prendre au rayon alcools du supermarché. Avant de rejoindre la bande sur le parvis, j'avais coutume d'acheter un truc à boire. Et j'hésitais comme à chaque fois. Quoi prendre ? Qu'est-ce qui leur ferait plaisir ? De quoi j'ai envie ? Mais non. Une handicapée marchait à côté de moi. Elle coupait ma soif.

Une bière m'aurait tenté mais, bloqué, j'avais dans le cadre cette fille bancale et bien connue : celle qui marche en biais, le bassin dans les genoux. Entre les bacs de surgelés et les têtes de gondole en fer-blanc, j'étais face au bouc émissaire du quartier. Quiconque a pour habitude de se ravitailler là connaît celle qui claudique. Car c'est une régulière, une emblématique. Elle descend quotidiennement faire ses courses afin d'économiser ses forces en achetant au jour le jour, au détail, sa nourriture bouchée par bouchée. Si elle pouvait, elle négocierait ses salades feuille après feuille à la caisse, quand elle s'incruste avec son panier en plastique rouge à demi rempli dans la file prioritaire. On la dévisage : le quartier, à la voir dépenser ses allocations, à l'observer ne faire que ça, sans travail suppose-t-on, se crèverait l'œil pour ne plus la surprendre entre la charcuterie et les tampons. Ignorant son nom et les circonstances de son handicap, le secteur la déteste et tient là son coupable, sa paresseuse. Une fille comme une tache sur le tissu social et dont il est question quand les femmes au foyer parlent entre elles, sur les bancs en béton, juste après les caisses. Dans le quartier, pourtant, on ne manque pas de compassion. Quand on partage la même peine, l'usine, tout s'excuse. L'échec scolaire des enfants, les petits vols à la tire, les sacs plastique volants et la dégueulasserie des trottoirs, franchement il y a pire. On a autre chose à s'occuper. Mais que faire d'une handicapée sans travail, sans époux connu, sans lien avec l'île et l'usine ? Personne – je faisais partie de ce personne – n'a de motif suffisant pour l'aider à monter ses packs de lait. C'est une fille seule et sans béquille, sans sourire, qui ne demande jamais qu'on l'assiste. Sans doute pressent-elle les insultes, devine-t-elle les crasses qu'on lui ferait une fois la main tendue et les courses portées chez elle. Les crasses dont j'étais capable.

Comme tous les enfants désœuvrés, je me moquais d'elle. Je l'imitais dans son dos, la démarche désaxée. Un ricanement de gosse indélébile. À l'adolescence, si j'étais lassé de mes railleries, je n'avais pour autant rien perdu de ma haine, de mon exaspération totale et semblable à celle des autres clients, ce râle, quand on la croise, Encore là celle-là, et cette répugnance à m'entendre gémir, encore aujourd'hui. Ce mal aux tempes. Ras le bol de compatir, ras le bol de ne pas compatir.

Alors je suis sorti du magasin les mains vides, sans cliché de mon départ ni considération particulière pour l'handicapée, sans indignation contre les valides qui ne l'aident pas ni contre les commères feignantes, les femmes sur leur banc. La tête en feu, j'ai exclu tout homme de mon regard et marché vite, couru vers le peu que j'avais à faire. Foncer dans le pire.

En fin d'après-midi, les derniers bambins quittent la crèche dans leur landau élimé. Les petits garçons se comparent les muscles et les fillettes maquillées à la gouache arpentent le bitume. En ce moment d'accession à la liberté promise, en cette fin d'épreuve, cette fin d'école, je suis rentré chez moi les yeux secs. À mesure que j'approchais de ma cage d'escalier, je perdais la faculté d'engranger la moindre information. Le dernier goût, la dernière odeur étaient flous. Le dernier bruit aussi net que l'écho entre deux étoiles. Puisque je ne voulais rien fixer, identifier, rien assimiler à ces dernières secondes dans la ville, je me contentais de marcher droit, dans ce bordel où je me refusais à désigner un coupable. Car personne n'allait endosser la responsabilité de mon sentiment d'agression permanente ni de sa première conséquence – mon isolement imminent. Je n'étais pas victime. Je n'étais pas blessé. En revanche, pris de peur, oui. Par intermittence, c'est ça, j'ai peur. La rumeur, elle, prétend que nous ne vivons pas sous le régime de la terreur mais lorsque mes mollets tremblent devant la fille bancale, je m'arroge le droit de ce sentiment-là. Parce que c'est la peur, toujours, la peur de rôder dans le coin et de croiser quelqu'un à la sortie du supermarché ou ailleurs, devant le cinéma ou sur la place où les jeunes se retrouvent. La peur d'être au centre.

J'ai fermé ma porte pour ne plus la rouvrir. Les premières secondes, j'ai poussé mon ouf. Expirer. Un ouf à peine retenu, murmuré. Barricadé, il y avait de quoi le vomir, ce ouf, le sortir de la gorge comme on dégueule son estomac. Mon corps à l'abri. En posant les clefs sur la commode, ouf, décidé à ne plus jamais y toucher, je me préservais de la parole des voisins qui circulerait encore en mon absence. Et comme il en est après la mort j'imagine, le passé s'expliquait davantage. J'approchais les racines de cette migraine sociale. Les raisons de ce mal de chien à supporter la meute n'étaient pas évidentes mais j'améliorais toutefois, par cet acte, mes chances de les trouver. Déjà mort, plus facile d'exister. En m'asseyant sur le canapé du salon, le cul serein, je mettais fin à cette période épuisante, subie, bavarde, stérile mais décisive. Je n'avais d'autre choix que de sauver, pressé, mon dernier bien, mon intimité.

Jour 2

Normalement, c'est l'heure de sortir. Le téléphone sonne plusieurs fois. Tu descends pas ? Bah non, je descends pas. Je descendrai plus jamais d'ailleurs. Tu veux voir personne ? Exactement. T'es malade, c'est ça ? T'as la grippe ? Je n'explique pas. La porte volontairement close. C'est irrévocable. Je décroche le combiné, je raccroche, je décroche. Je me répète. Certains promettent de passer me voir ou de prendre de mes nouvelles Plus tard quand t'iras mieux. Le temps que tu te sentes bien. Pour eux, aucune raison n'est valable, Ça ne s'est jamais vu, La vie ce n'est pas renier les autres, vivre à côté, sans personne. Ce n'est pas s'enfermer. À moins d'avoir tué, on ne se laisse pas emprisonner. Mon père appuie sur le bouton de l'interphone. Je lui réponds. J'ouvre. L'ascenseur monte le long de la colonne à ordures. Mon père ne sonne pas. Il utilise ses propres clefs pour entrer. Je l'embrasse, il m'embrasse. Il montre son bonheur d'être attendu quelque part. Il fouille le frigo. Il enlève ses chaussures à gros lacets. Ah tiens, je prendrais bien un truc à boire. Je lui dis Bah vas-y prends ce que tu veux, et pendant qu'il verse du jus d'orange dans son verre il me demande des nouvelles de A. Il se réjouit, tout se déroule bien, non vraiment c'est trop de bonheur pour un seul homme. A., décidément. Il me raconte son cours de français, les compliments de son professeur et le travail à poursuivre. Tenir bon, garder le cap, viser l'objectif, faire des efforts, rester concentré, bosser régulièrement. Il emploie un maximum de mots pour me dire qu'il n'abandonnera pas. Il reformule ses phrases du mieux qu'il peut. Il épuise les possibles. Il brasse du vocabulaire, mémorise. C'est à cela qu'on reconnaîtra son aisance linguistique, m'assure-t-il, alors que je me demande bien qui exigera de lui cette qualité. Qui pense-t-il intéresser ? Je ne lui fais pas la remarque. Il repose son verre. Je ne dévaloriserai pas son but. Si je désespère, c'est qu'il n'y a rien ni personne au bout des grammaires et des dictionnaires qu'il annote. Qui surprendra-t-il à vaincre sur lui-même ? Il se ressert du jus et continue de sourire. J'étouffe ma gêne. Sa femme ne serait pas morte, j'adhérerais plus facilement à sa joie.

Mon père et moi avons parlé de soulagement lorsque sa mort eut lieu. Mais cela n'était qu'une façon d'évacuer innocemment le souvenir de notre impuissance face à son agonie. Se recouchant dès le moindre effort, elle ne répondait plus au téléphone ; quant à l'interphone, il semblait décidément trop loin pour qu'elle se lève. Si elle n'avait rien perdu de la rapidité de ses doigts, si elle reprisait en professionnelle de la couture domestique le moindre bout de tissu pourvu qu'il soit démodé, en dépit de cette occupation, ses jambes ne la soutenaient plus. La tête lourde, les épaules tombantes, elle retenait son corps par à-coups. Ses genoux froids sur lesquels je posais ma main pour la réconforter s'effritaient. J'avais très tôt cessé de considérer chacun de ses sursauts de vitalité, brusques, comme un signe encourageant. Je souhaitais qu'elle guérisse, le miracle, mais l'attaque lente et rasoir de la maladie entaillait tout espoir de guérison. D'une voix sans souffle elle maudissait le monde et ses maîtres, le monde et l'argent, le monde et sa religion. Le monde et l'idée même d'un monde. Pour elle, l'univers était mal foutu. Elle aurait eu le choix de le dessiner à sa guise, elle aurait conçu quelque chose de moins rond, de moins vaste. C'est qu'on s'y perd, elle disait. Quitte à le refaire, elle n'y aurait pas mis d'humains. Et, jusqu'au-boutiste, elle ne s'y serait pas incluse. Elle vitupérait contre elle-même, c'était trop de souffrance cette vie-là, ce mari parfait mais Jamais-là, et ce glandeur de fils si gentil mais Jamais-là. À la fin, je m'absentais davantage. Je traînais tantôt avec la bande jusqu'à pas d'heure, tantôt chez A. ou chez un pote du coin. J'avais décidé de ne plus habiter chez mes parents histoire qu'on ne me traite plus de Jamais-là. Je fuyais. Je donnais raison à ma mère : Jamais-là, jusqu'à ce que mon père m'annonce qu'elle ne parlait plus. La nouvelle stoppa naturellement mon zèle d'absent et, non sans atteinte à mon ego, à la seconde où je compris la gravité de ce dont il me prévenait, mon Jamais-là se transforma illico en J'arrive. Devant l'interphone, pas besoin de dire C'est moi. Mon père m'ouvrit à la première sonnerie. Sur le palier, derrière la porte entrebâillée, il me prit dans ses bras et m'accompagna en silence, fragile, près du lit. J'étais venu. Je m'étais laissé battre, en vérité, et c'est ainsi qu'après ma visite je sortis malgré le froid sans fermer mon blouson. Il était prévu que A. m'attende près d'un de ces bancs d'ordinaire occupés par ces mères à la bouche pleine de reproches envers la société, et mon anorak ouvert appelait ses paumes chaudes contre mes côtes de perdant. Quatre ou cinq jours après, je crois, l'enterrement eut lieu.

Quoique la migraine s'atténue, garder la tête au calme est une expression qui ne s'adapte pas à moi. Même enfermé, quand rien ne bouge, il y a ces voix gênantes, fuligineuses. Des moitiés de phrases qui rappliquent comme un murmure, à l'intérieur, où tout est si creux, et j'ai oublié tant de choses que les échos se multiplient, se dédoublent, pallient le manque de souvenirs et plâtrent les vides si bien que la mémoire n'absorbe plus que des ouï-dire, des inventions ; elle se fausse et dans cette erreur, c'est la douleur. On n'y peut rien.

Aux funérailles, personne n'a pris la parole. Je n'avais pas préparé de discours tandis que mon père refusait d'offrir en spectacle ses progrès linguistiques. Pour l'occasion, l'usine lui avait octroyé deux jours de congé. Il y voyait, naïf, un superbe effort de la part de son supérieur alors que les conventions collectives prévoient ce type d'arrangement. Pendant ces deux jours, à part trier quelques affaires nous n'avons rien fait de particulier. Nous n'allions pas pleurer. Nous n'allions pas fêter la morte non plus. Mon père attendait seulement que le travail reprenne et, quand il repartit pour l'usine, il espéra seulement que de petites joies reviennent.

Aujourd'hui, quand il rentre, enlève ses chaussures, se sert à boire, retire son uniforme, met ses chaussettes au sale, mon père sourit. Et lorsqu'il passe à la douche, les canalisations sifflent avec lui. Une mélodie retentissant comme un faux bonheur qui s'ajouterait aux mensonges de mon enfance. Très jeune, je me méfiais déjà de ce réflexe familial de sourire et porter le beau masque, d'embellir les étoiles éteintes et promettre la lune, histoire que mes parents échappent à la culpabilité de collaborer à ce monde pingre et mécanique. Preuve que je suis le fils de mes parents : en échange de la tristesse que mon père cache, je lui tairai mon retrait définitif de cette vie haïe.

Je prépare le dîner. J'ouvre les placards mal fixés de la cuisine. Les courses ne remplissent qu'une moitié d'étagère. Pas de pauvreté, pas de misère. En matière d'achats nous sommes raisonnables avec pour coutume de ne pas gâcher. En cas de guerre, on tiendrait une semaine, mais le risque qu'un ennemi occupe la ville est faible – le dernier conflit, lui, date de ce temps où mon père ne travaillait pas encore pour cette usine que l'occupant avait provisoirement transformée en fabrique d'armes. Avant que l'eau du riz ne bouille, je lui demande T'aurais fait quoi si t'avais travaillé à cette époque ? Tout ce qu'il peut dire, c'est qu'il craint la guerre comme si les journaux l'annonçaient. Si l'ennemi revenait, on réquisitionnerait l'usine. Comme avant, on y assemblerait des chars d'assaut et Ça, je ne sais pas si je saurais faire, il ajoute. Je serais plus payé pareil, on donnerait des ordres dans une autre langue et franchement, tout réapprendre, ce serait pas marrant. Tu te rends compte ? Encore, la technique, c'est le plus simple. Mais la langue ! C'est déjà tellement dur d'apprendre celle-ci alors une autre, les efforts que ça demanderait ! Impossible ! En plongeant le sachet de riz dans la casserole il me parle de sa leçon, des félicitations de son professeur pour les trois exercices qu'il a recopiés au propre pendant sa pause déjeuner. Zéro faute. Comme pour justifier fugitivement ses sourires, il me dit Cette langue c'est la grâce. Je n'ai rien à répondre. Si t'en es persuadé.

Personnellement, le seul plaisir illimité que je tirais de l'école, de l'apprentissage, était cette impression aussi pathétique que narcissiquement intéressante, cette impression de survivre à la permanence d'un chaos : on me trouvait violent. Évidemment les professeurs trouvaient l'école tout entière très violente : nous nous y battions infatigablement. Et cette violence-là, sans que le recul le démente, nous l'aimions, je l'aimais. Plus nous étions brutaux, plus nous nous enorgueillissions de nos bastons – plus nous échappions à l'ennui. Généralement la punition tombait le soir même et m'entraînait dans sa chute, le lendemain, trois étages plus bas. Dans un appartement identique au nôtre, une voisine palliait le peu de ressources grammaticales de ma mère – son amie. Elle m'instruisait avec ce surplus de prévenance que l'on réserve aux enfants maudits, de peur qu'ils ne cognent à nouveau. Mais bon, je n'avais rien contre. En guise de sanction, je déclinais volontiers tous types de verbes – manger, dormir, attendre, changer, retenir, mettre, penser, comprendre, aimer –, avec une préférence pour les pronominaux – se bouffer, s'endormir, s'attendre, se changer, s'entretenir, se mettre, se penser, se comprendre ou se faire aimer. Ni dans les faits ni dans leurs conséquences, se battre et saigner de l'arcade n'étaient désagréables. À force de coups et de corrections grammaticales, je progressais en cours et Je t'aime était une phrase que j'étais désormais capable d'écrire sur les dessins que j'offrais à mes parents.

Sur ces œuvres dignes d'intérêt exclusivement familial, je dessinais l'île, souvent, avec ses cheminées, sa fumée et ses voitures en morceaux.

En bas à gauche, souvent, on retrouvait des bouts de moteur que j'ajoutais çà et là, flottant sur la page et le fleuve. Au centre, je croquais mon père, debout, très droit, avec sa blouse, sa cicatrice au menton et son dictionnaire sous le bras – autant de signes qui l'identifiaient. Parallèlement à mes activités d'illustrateur je m'impliquais symboliquement dans son travail. M'imaginant d'un grand secours, je m'intéressais aux techniques de production, aux vieilles voitures de la même marque ainsi qu'à la conception de prototypes. Les capots des miniatures que je collectionnais étaient siglés d'un losange gris métallisé que l'on retrouvait sur les cadeaux du comité d'entreprise. Ma mère les entassait dans les placards. Des tasses, des mallettes et des stylos à bille dont elle ne voulait pas. Mon œuvre, cependant, ne se limitait pas à la figuration. Autant l'avouer, ma période abstraite commença tôt. Je ne crayonnais plus que des blouses blanches, bleues, vertes, jaunes qui, a posteriori, annonçaient un tournant conceptuel. Je recouvrais des trottoirs, des feuilles par ramettes et ma chambre de losanges blancs, bleus, verts, jaunes et gris comme pour asseoir l'emprise de l'usine sur nos vies. Des losanges, on en trouvait sur les bulletins de salaire, les journaux internes, les affiches, dans les ateliers et les parkings. Avant le triangle, le cercle ou la ligne droite, le losange fut la forme que je nommai en premier. Le naturel de cette obsession n'effrayait personne. Je la prolongeais donc. Des losanges, je m'en inventais encore sur l'eau gelée du fleuve en hiver ou sur les troncs d'arbres plantés dans le bitume. Avant de comprendre que le monde était rond, je concevais une terre plate et quadrilatérale. En vacances à la mer, dans les camps de vacances losangés, quand il n'était plus l'heure de se castagner dans la cour d'école, sans voisine pour me faire travailler, je rejoignais la mer par des allées au long desquelles des voitures à losange s'enfilaient, bien garées. Tout au bout, les orteils agrippant la roche, je matais le large. Je me disais Là-bas, c'est la frontière du losange. Plus loin, on tombe. Au-delà c'est un monde difforme, différent, sans île, sans usine et sans fleuve. D'autres univers où paradoxalement tout tournerait moins rond. Mon losange avait l'avantage d'une beauté totale, autonome. Mon losange contenait ses travailleurs, ses blouses, son eau, ses bus de ramassage, ses camps de vacances, ses cours de langue, son système de production énergétique et ses voitures, son histoire et ses guerres oubliées. Les années de bagarres révolues, la précarité satura ce quadrilatère bien foutu.

Plus tard, mes yeux focalisèrent sur ces gens qui débarquaient valises crevées sur le toit de leur véhicule. Ils dégotaient un travail à l'usine et s'installaient aussi brièvement qu'un métro s'arrête en station. Faute de place, de volonté, de logement ou trop déçus, après quelques mois, ils repartaient on ne sait où. Au moins s'en allaient-ils vivants – enfin nous l'espérions. Dans la rue, avec mon père quand nous sortions le dimanche, nous guettions les déménagements. Les marmots s'entassaient à l'arrière des voitures, les pneus s'affaissaient et quand la portière du conducteur se fermait une dernière fois, que la caisse rejoignait les routes nationales, il me disait C'est dingue tout ce bazar, non ? Tandis que nous, nous ne bougions pas. Maintenant, lorsque je l'accompagne pour une sortie, nous n'assistons plus aux mêmes appareillages. Affaibli, notre losange s'est emmuré. Moins de gens croient en nos mines d'or et le plus souvent, quand mon père me désigne du bout de son menton balafré une voiture, c'est qu'elle est à l'arrêt, garée, attendant les vacances. De temps en temps, il me demande mon avis sur tel ou tel modèle de marque étrangère. Des japonaises, des italiennes ou des allemandes. Plus reluisantes, plus imposantes que les nôtres, il n'aime pas les italiennes tandis que les japonaises ne lui évoquent rien. Et les allemandes, comme une évidence, lui remémorent de mauvais souvenirs fantoches. Moi, je n'ai pas d'avis, alors je lui rappelle le contenu de mes gribouillis d'enfant : des pays à géométrie variable.

Sur la table de cuisine lui servant de bureau, avant que je ne dresse le couvert, mon père lève un sourcil, cherche un mot. De moins en moins gauche du coude, il travaille ses cours, étudie minutieusement. C'est sa drogue, il n'arrêtera jamais. Sorti de l'usine, il poursuit l'effort.

Le dîner est prêt. Il débarrasse, amoncelle ses cahiers sur la commode, près de mes clefs. Je retire le riz de l'eau. Je pose les assiettes. Il se lave les mains. Je le sers. Il mange. Je mange avec lui. C'est plié. Il débarrasse à nouveau. Il me tend les verres que j'empile dans l'évier. Il soupire. Je fais tremper la vaisselle. Il reprend ses cahiers. Un truc à finir. Je m'assois dans le salon, regarde la télévision dans mon coin jusqu'à ce qu'il me dise J'ai fini. Je relis pour vérifier mais ce soir il n'y a rien à corriger. Il dit Merci et je lui réponds Dis pas merci. Il ne doit son succès qu'à lui-même. C'est la puissance de sa victoire. Ses collègues l'estiment et le complimentent. Sa vie, c'est la vie qu'on désire. On cherche à l'aborder. À l'usine, on se confie à lui. La mort de ma mère a renchéri les aveux – déceptions, secrets de famille. La peine attire la peine. La chaîne de montage arrêtée, on lui demande comment résoudre tout un tas de problèmes. Des questions hétéroclites. À quel service s'adresser à la mairie. Quels papiers fournir. Quelle banque, quelle femme, quel crédit, quel type de peinture. Parce que le pire n'a pas l'air de le marquer, on a recours à lui, on espère lui soutirer un grand secret.

Ce soir encore, le téléphone devrait sonner mais je ne le rebrancherai pas avant demain matin. Avec le téléphone, il y en a pour des heures. On se répète les mêmes choses. Dans la bande, les conversations ne se construisent qu'autour de réflexes. Rien n'est vrai, rien n'est faux, rien ne reste, et dans ce vide, on hausse les épaules. On cherche la vie tranquille. On stagne dehors. Après dîner, les garçons pissent sur le trottoir pour faire les beaux tandis que les filles les matent, détachées. Ni putes ni rien de sexuel, elles s'engoncent au crépuscule sur les bancs qu'occupent leurs mères dans la journée, le téléphone et la pisse faciles, accroupies devant un rideau de fer. Les sexes opposés, sourds, ne s'appellent pas. Alors qu'avant, d'après ce que les parents racontent, le sexe allait comme à l'usine. Hommes et femmes se racontaient leurs amours. Mais aujourd'hui, à nous observer, malgré les nuits contre A., j'éprouve le sentiment faussé que nos parents étaient les derniers à s'aimer.

Jour 3

C'est le matin. Je le regarde suivre le quai. Sur le trajet pour l'usine, mon père ne se retourne pas. Il suit la ligne, tracée, le corps économe. Dans la foule nul ne s'agite. La marche est rapide, il ne faut pas être en retard. Mais, conséquence de leur adaptation au travail, preuve de leur parfaite conscience professionnelle – ça, on ne le leur reprochera pas –, les bras collent au buste. Ils limitent leurs gestes et se retiennent de se jeter par terre à chaque pas. Une démarche incomparable à celle d'un pompier ou d'un standardiste. Il suffit de considérer la trotte d'une secrétaire ou d'un cadre pour comprendre que les ouvriers ne marchent pas du même soulier que l'humanité. Je m'éloigne de la fenêtre. C'est l'injustice. Moi, je ne marche plus sinon pour des allers-retours entre la chambre et le salon. Une ronde entre l'entrée, les toilettes et la cuisine. Deux fois par jour, comme à l'instant, je pousse la porte de la salle de bains et pose le pied sur le revêtement plastique. Je me déshabille. J'ouvre le robinet monté à l'envers. L'eau froide à gauche, l'eau chaude à droite. Il ne sort que de l'eau froide. J'attends. Ça brûle. Je règle la température. Je me frotte, je passe du savon sur mes joues, je fais mousser, je dissous la sueur collée au front. Je me lave les cheveux, je me rince, je me réchauffe, je me jure que je n'aurai pas froid de la journée, je coupe l'eau, j'enfile une serviette, m'adosse au radiateur mais, à peine sorti du bac, j'échoue ; tous les matins ma peau se hérisse et mes poils bandent. Je claque des dents. Je me bloque : les tétons, les bourses et les veines se rétractent. Je me regarde dans la glace, le cou scellé aux épaules et les doigts bleus. Je tremblote. Ni beau ni moche. À force de m'être préparé, des jours de suite, des années, d'avoir répété ces gestes, enfiler un caleçon large puis un jogging puis sur mon torse un tee-shirt blanc, je n'ai longtemps gardé, physiquement, qu'une raideur insupportable.

La première fois que A. m'a vu nu, elle n'a rien fait de moi. Le ciment avait bouché mon désir à tel point que sa patience n'eut aucun sens. Au moins avec toi, elle disait, ça peut pas être pire. Un lit, c'est comme la nudité, ça sert à baiser, mais toi on dirait que t'es pas conçu pour. C'est pas grave, hein, c'est juste que ça change des autres qui bandent tout le temps. Allongés l'un contre l'autre, elle serrait précautionneusement la dalle en béton que j'étais. Il n'y avait rien à attendre. Sur moi ne poussait plus que de la mauvaise herbe. Des sentiments, j'en éprouvais encore, mais question sexe, sans zèle de sa part, j'aurais gardé bouche et bite molles. J'aurais conservé cette aptitude proprement chaste à répondre de tout par un Tu me violes. Sans son insistance pour que je retrouve du désir, sans A., je ne me serais jamais enfermé. Je me serais définitivement désintéressé de moi.

Je réchauffe les restes d'hier. J'avale le riz pâteux. Je déglutis. À la maison ce n'est pas de la grande cuisine et, même si l'on essayait, ça me ferait pleurer de savoir qu'on ajoute trop de sel, de poivre et d'épices pour en relever le goût. Je n'ai pas d'appétit pour ces grains blancs dits nature à cuisson rapide. Ma mère achetait les mêmes, en paquets souples, beiges et sans marque. Ne pas en manquer est une si vieille habitude que je ne sais plus, d'ailleurs, dans quelle mesure mon père et moi en mangeons de plein gré. On cède volontiers à un goût neuf, ponctuel, on se laisse distraire et voilà que ce goût est intégré aussitôt comme penchant naturel alors que, jusque-là, on n'imaginait pas l'avoir. Et maintenant, on ne cherche pas à comprendre celui qu'on a. On se fourre la bouche du plus logique à priori, du plus courant. On cuit son riz. On tartine de la margarine parce que c'est vieux comme la graisse, ça glisse sur le pain compact, on en met un peu dans ses féculents pour que ça passe mieux dans l'œsophage, on s'huile et les rouages s'enclenchent, on beurre la bouffe comme on transforme le pétrole en essence, faut que ça tourne, et je finis le déjeuner en trois bouchées. Je me lève de ma chaise. Je débarrasse.

Les gens s'ennuient tellement qu'ils s'obligent à travailler, et quand l'après-midi se referme sur leur occupation, ils s'épient, se demandent ce que les autres font le soir, ce qu'ils regardent à la télévision. Ils angoissent, et si les parents oublient leur ennui en travaillant, la bande, elle, s'occupe à m'appeler. C'est l'heure du banc. Il faut pointer, descendre, montrer sa gueule, montrer sa fatigue ou son bonheur, montrer ses nouvelles pompes ou son vieux blouson mais il vaut mieux se prémunir. Comme au travail, la trop belle paire de chaussures dérange autant que la doudoune trop usée. Le groupe subsiste à travers un équilibre mollasson que j'ai brisé. Je ne suis toujours pas en bas. La sonnerie du téléphone insiste. Tu vas finir par descendre ? C'est vrai quoi, une grippe ça se soigne vite. Qu'est-ce que t'as ? T'as la gastro ? Dis-le si t'as tellement mal au ventre que t'en finis pas de chier sur tes murs. Évidemment je nie. Ils rient. Rien n'empêche la suspicion. Je leur demande Quoi de neuf dans la vie, comment va ton copain, ta copine, ta famille, ta patrie mais personne ne répond. L'événement digne d'intérêt, le seul qui focalise leur curiosité, quoique je repousse, j'évacue la question, est cette absence qu'ils ne comprennent pas. Même en essayant, vraiment, même avec toute la bonne volonté du monde comme ils disent, même en tentant de justifier objectivement mon départ, ça ne suffit pas. De toute façon on s'est toujours dit que bon, voilà, c'est pas méchant mais t'étais pas un mec très en forme. Tes cernes, tes mains jaunes comme la pisse, tes veines en relief, on se doutait bien que tu te dégradais de l'intérieur. C'est pas pour le peu de drogue que tu prenais, ça c'est clair, mais ça pouvait pas durer non plus. Des gens malsains comme toi, ça tombe malade. Même A., avec sa manière de fermer sa gueule, de jamais dire ce qu'elle fait, ce qu'elle pense de toi, eh ben y a pas à chercher. Elle te couvre. Elle te cache. Elle sait, elle, que t'es un lépreux. Tu peux pas dire que c'est pas louche quand même. Quand on lui demande ce que tu deviens, elle réagit pas, elle fait genre J'le connais pas. Tu le sais peut-être pas, ça. Hein. Mais dehors elle fait comme si elle avait honte. La bouche dans le combiné, je ne me vexe pas, j'essaie, je réponds Oui, ça doit être ça, et je raccroche, Au revoir, à peu près poli.

Rester chez soi et ne rien faire est une activité de résistance. L'heure d'après, je débranche la prise. Peine perdue pour peine perdue, autant les perdre de vue. Qu'ai-je à regretter ? Quels souvenirs garder ? On traînait, posés sur les bancs, on se lançait des vannes, fumait des clopes, on attendait que ça se passe, on mimait des bastons. On s'emmerdait, c'est ce que tout le monde disait alors que nous, non, on ne s'emmerdait pas tant que ça. À vrai dire on s'emmerdait pour de faux. Nos petits rassemblements faisaient partie des moments où nous nous emmerdions le moins mais le consensus actif, bavard, était plus puissant que notre rituel de squatter les rez-de-chaussée. Tour à tour il y avait toujours l'un de nous pour rentrer plus tôt que les autres en prétextant du boulot, du repos, un truc finalement plus ennuyeux que notre rien faire à nous. Je laissais partir, À demain, tandis que les autres retenaient le lâcheur. Ils le traitaient d'emmerdeur, de couille fripée ou de fils de pute. Les accusateurs oubliant qu'eux aussi, parfois, désertaient le groupe et regagnaient leur étage afin de montrer leur indépendance, la possibilité d'une vie sans les autres. Le seuil de leur appartement franchi, le père était couché, la mère reprisait la blouse du mari tandis que la grande sœur, bien debout, dans le sérieux inhérent à sa désexualisation progressive, cheveux plaqués trop fort sur le crâne, se pressait de commenter le retour du glandeur. Alors comme ça ce soir t'es décidé, tu te lèves de ton banc et tu prends ta vie en main. Et puis l'oppression s'intensifiait, non sans ironie, T'abandonnes ton cercle d'intellectuels. On ne savait quoi répondre. Leur habitude de commenter notre surplace nous paralysait. Reste tranquille. Déserteur ou paresseux, en haut ou en bas, c'était la double peine, la culpabilité dont on ne s'extirpe pas et qui écrase le cœur qu'on se refuse à sentir tellement tout ce béton dans le sang fatigue les ventricules ; et puis la solitude, par-dessus, qui burine le sternum. Que peut-on ajouter sinon que nos familles nous ennuyaient plus que nous nous ennuyions face à nous-mêmes ? Chez soi, il fallait employer la technique de l'évitement, c'est-à-dire manœuvrer systématiquement en longeant les murs. Ne pas répondre aux attaques et ne pas parler plus fort que l'autre. Toujours tort, de toute façon. Un jeune homme est un jeune con.

Fils unique, la pression familiale se limite à l'autorité de mon père. Et même, alors que je l'entends ouvrir la porte, je ne peux pas prétendre qu'il m'ait un jour fliqué. Preuve en est qu'il ne s'inquiète pas de mon surplus soudain de présence. Il me sourit comme hier.

Jour 4

Autre dîner, je mange mon riz coudes sur la table. Alors, aujourd'hui ? Rien à signaler. Et demain ? Rien de spécial, rien non plus. Donc on évoque les détails, les éléments de cuisine qui se décrochent. Qu'il faudra fixer. On parle également des papiers, parce qu'ils s'amoncellent, il est temps de les classer, les classer dans des chemises, alors on achètera des chemises, on glissera les chemises dans des boîtes en vérifiant que ces dernières ne sont pas toutes pleines, vérifier qu'il y en ait des vides, en acheter le cas échéant, et ranger les boîtes dans les placards pourvu qu'il y ait de la place, sinon faire de la place, jeter les vieilles factures, les relevés de comptes en banque qui ne serviront plus, se renseigner auprès de l'administration, savoir combien de temps se conservent les feuilles d'impôts, les bons de garantie des appareils électroménagers, relire les mentions spéciales au bas des certificats d'assurance et jeter dans le vide-ordures tout l'inutile, jeter les traces d'achats dont on ne se souvient plus, effacer sa vie, remplir des sacs-poubelle et les descendre parce que c'est vrai, il faut faire attention à ne pas boucher la colonne à ordures, c'est risqué, surtout avec du papier, parfois ça se bouche et déboucher la colonne c'est problématique, c'est franchement pas évident, il faut jeter de l'eau chaude, attendre que le papier s'imbibe, s'alourdisse et tombe dans les bennes du rez-de-chaussée.

Le bruit de nos deux assiettes que j'empile claque aussi fort qu'une soirée inutile qui conclurait une journée épuisante. La fatigue la fatigue la fatigue. Mon père ne me dit plus rien. Il répète Faut que je dorme. Bon à rien, il ajoute. Il regarde le fond du couloir, tergiverse, pourquoi ne pas se déshabiller tout de suite, se laver les dents, dormir. Il résiste. Si c'est pour se coucher après le travail, son cours et le dîner pour repartir le lendemain, ça ne vaut pas le coup de vivre. Alors il puise. Il pisse et revient, s'affale sur le canapé, fouille les coussins, met la main sur la télécommande. Il tient, il veut de la lumière dans les yeux pour le garder en éveil. Il allume la télévision. Les yeux ouverts, les oreilles avides. Son corps réclame des couleurs vives, des décors scintillants, des lumières fortes, des visages maquillés, des sourires à la caméra, des prompteurs cachés, de l'action, des fous rires, des chutes, des chansons connues, des anecdotes, des bouts de la vie des autres, des pleurs, des génériques, des listes qui défilent sur l'écran, très vite, des spots de publicité courts et drôles, encore de la drôlerie, quand on rit le corps ne s'endort pas, et des jolies filles, des petites brunes assises au premier rang, décolletées, des filles qui sous-entendent qu'elles sont des salopes, qu'elles font des trucs sexuels qu'aucune fille ne fait, et c'est ainsi qu'il veut qu'elles dansent devant lui jambes écartées. Mon père, s'il avait l'énergie de lever son cul du canapé, lécherait certainement l'écran. À part ma présence, rien ne le retient. Sans divertissement ce n'est pas la peine d'aller dormir. Assistant aux mêmes images, je saisis le sens de cette récompense, ce qu'il s'octroie après s'être maintenu debout toute une journée. Néanmoins, maintenant que ma réalité se veut sensiblement plus lente et silencieuse que la sienne, l'emballement du spectacle me renvoie à mon vide d'où émergent quelques souvenirs résistants comme un résidu de rouille au fond d'une mémoire à détruire. Je me souviens que l'école est si mal faite que les enfants s'y détruisent.

Je me souviens qu'il est insupportable de ne rien supporter.

Je me souviens qu'avant de m'enfermer, j'attendais d'attendre quelque chose.

Je me souviens que désormais j'irai de mieux en mieux.

Je me souviens ne pas avoir annoncé cette décision à mon père mais qu'il le faudra.

Je me souviens que j'ai définitivement fermé la porte de chez moi parce que je sentais venir la fin de quelque chose. La fin de quoi ? Comme les animaux, il est possible d'anticiper les catastrophes.

Je me souviens de comment on fait pour oublier que l'on n'est rien.

Je me souviens que la nuit commence tôt et ne dure pas assez longtemps.

Je me souviens que l'on ne prenait pas de précautions particulières pour ouvrir les meubles de la cuisine, quand ils tenaient encore au mur.

Je me souviens que je n'ai jamais compris comment les gens font pour s'entendre entre eux et continuer de vivre les uns sur les autres.

Je me souviens des Faudra bien que tu t'habitues. Je m'en souviens parce que je ne me suis jamais habitué. Il y a peu de façons de faire comprendre que l'on n'est pas adapté à la vie en société sans passer pour un vrai pédant ou pour une fausse victime.

Je me souviens que je suis inconsolable, pas malheureux.

Si je n'avais pas connu A., je me laisserais aimer tel que je ne suis pas. Je me souviens ne jamais lui dire Je t'aime parce que j'ai peur de l'abîmer.

Je me souviens l'avoir rencontrée dans le quartier, le seul que j'ai habité.

Je me souviens de mes potes en bas de l'immeuble et de leur haine parce que je les ai lâchés.

Je me souviens des La vie ce n'est pas renier les autres, des Plus tard quand t'iras mieux, des À moins d'avoir tué on ne se laisse pas emprisonner.

Je ne me souviens ni d'avoir cassé de vitrine ni braqué de banque.

Je me souviens de la cicatrice de mon père, au menton.

Je me souviens que mes seuls morts, ce n'est pas moi qui les ai tués.

Il se couche. J'éteins le poste. Dehors, les belvédères alignés surveillent les délits. Le moindre toussotement est un cri de haine. Les quais fermés à la circulation, le moutonnement sonore de la journée ne se confond plus avec le bruit du vent dans les rideaux de fer. Un corps plaqué sur une vitre alerte les environs. Le jour reviendra vite mais en attendant le quartier sifflote sa vieille chanson. Le temps rétrograde. Avant que l'usine s'installe, les champs s'étalaient jusqu'au prochain village. Comme cette nuit, les ondes se propageaient sans limites, sans corps, sans béton, sans cadavre d'animal pour faire barrage au son. Tout s'entendait, tout s'entend, et dans ce bruit-là je gagne ma chambre. J'entasse deux oreillers. Mes souvenirs épuisés, le ventre suant dans le drap de dessous, je reconsidère mes sentiments pour A.

Jusqu'alors, accepter son absence dépêchait mon sommeil. Plus vite endormi, plus vite réveillé. Les nuits bien faites accéléraient mon plaisir de la retrouver. Je me passais d'elle comme il est utile de se passer d'alcool ou de chocolat, quand il faut reconstruire un manque – une prochaine jouissance. Je rationalisais les choses, et, pour peu que je dusse l'attendre encore, alors que le manque était là, revenu, je chopais dans le fourbi de la bande ou du quartier de quoi détourner mon attention. Mais en rentrant chez moi, j'ai perdu tout moyen de diversion. Ce soir, son absence s'adosse à mon manque, ça ressemble à du vide sur du vide, et dans la peur de m'effondrer je me rassure, je lui murmure intérieurement des trucs du genre Le plus beau c'est peut-être qu'on ne définit pas notre relation, qu'on ne commente pas non plus le fait qu'on ne l'explique pas. J'ouvre la bouche, je respire plus lentement, je l'entends geindre contre le bruit des voitures sur le quai : celles qui grognent tellement dans les embouteillages quand il fait encore jour ou celles qui se défoulent sur leur moteur la nuit tombée. Si A. ne s'en était pas plainte, je ne l'aurais jamais remarqué. L'habitude assourdit.

Avant notre première nuit commune, je ne prêtais pas attention aux pots d'échappement qui pétaradent. À tel point que je me fous d'elle, maintenant, quand elle dort ici. Chaque fois je lui assure que non, c'est le silence. Elle s'énerve, elle me dit T'es de mauvaise foi. Et ça me fait rire parce que oui, c'est le boucan total. On ne peut pas le nier, et je ne dors jamais aussi bien que dans sa chambre qui ne donne pas sur la rue. Alors qu'ici, quand nous nous allongeons l'un contre l'autre, dans ce lit, le mien, pendant que nous attendons le sommeil d'après l'amour, d'après la parlotte, quand deux motos font la course sur le quai, je lui dis C'est le silence, t'entends pas ? Je lui crie C'est le silence. T'entends pas, là ? La voix exagérément forte,

C'est le silence alors arrête de parler parce que tu détruis le silence. Elle me répond J'ai rien dit, tu mens. Alors je ris, je ris.

Elle : Tu mens, tu mens et t'es chiant de mentir parce que t'es pas quelqu'un qui ment, au fond.

Mais ce soir, exceptionnellement, on a fermé les voies sur berge pour travaux. Elle n'est pas là pour dormir au-dessus du quai vide ; son absence redouble de puissance. Je me relève.

Dans le salon, lumières éteintes, je tâte la moquette, cherche à l'aveugle le fil du téléphone. Je le rebranche. Je l'appelle.

Elle : Qu'est-ce tu fous à m'appeler si tard ? Tu m'appelles pas pendant trois jours et tu refais surface d'un coup, l'air de rien.

Moi : T'avais qu'à m'appeler si je te manquais à ce point.

Elle : Je te rappelle le nombre de messages que je t'ai laissés ? Tu veux qu'on s'engueule ?

Moi : Non.

Elle : Alors on s'engueule pas.

Moi : Alors on s'engueule pas. De toute façon je sais pas m'engueuler, j'ai pas appris, je t'ai pas appelée parce que j'attendais que tu passes pour te parler.

Elle : Je sais bien que t'as un truc important à me dire. La bande arrête pas de me poser plein de questions. Que tu restes enfermé parce que t'oses pas avouer que t'as la chiasse. J'te jure, ceux-là.

Moi : On en parlera plus tard, OK ?

Elle : Faut savoir ! Si tu m'appelles c'est pour qu'on parle, non ?

Moi : Non, pas trop. Enfin je voulais juste te dire que t'as raison pour les voitures, la nuit, pour le vacarme. J'ajoute Mais finalement, c'est très bien que tu t'endormes jamais quand tu viens là parce que ton sommeil, ton sommeil c'est la pire chose qu'il y a en toi.

Elle ne réagit pas. Ce genre de compliments ne l'étonne pas. Tu dis rien ? À part ne plus dormir et mourir les yeux comme des blattes séchées, elle ne sait pas quoi faire. Et ma soudaine proposition – seulement dormir quand moi je dors, donc dormir moins que moi – ne la tente pas. C'est injuste, t'es injuste, je le mérite pas. Elle me traite de cinglé. Pour l'insulter à mon tour, je lui rapporte ce que m'ont dit les mecs d'en bas, au téléphone. Comme quoi elle a honte de sortir avec moi.

Elle : C'est des enculés parce que tu me manques et si je pouvais je viendrais te voir. Même si t'es gonflé quand même d'appeler si tard.

Moi : Je suis triste, m'en veux pas.

Elle : Oui, enfin non, non, je t'en veux pas.

Moi : Je suis là, si je t'appelle c'est que je suis là, ça au moins tu peux pas me le reprocher et si je veux pas que tu dormes, c'est pour que tu constates ma présence, et c'est pas ma faute si l'horreur de ne pas te serrer dans mes bras prouve que le nous est un truc trop difficile. Ce n'est pas ma faute si l'on s'arrache le corps à tenter de vivre à deux, si l'on se perfore le cerveau pour oublier que le nous, ça n'existe pas.

Courbé à angle droit, un manutentionnaire du supermarché tirera bientôt ses chariots encastrés sur une longue ligne et réveillera les ouvriers de l'usine, à la chaîne.

Jour 5

La journée commence. Mon père s'en va. Je m'accoude à la fenêtre et le regarde partir. Je me rendors. Les premiers regroupements de la bande commencent à midi. Tu cherches ton style ? Tu veux te faire remarquer ? Tu trouves qu'on ne parle pas assez de toi ? Jusque-là tu as tout fait pour, tu insistais auprès des autres, tu lançais des rumeurs mais personne ne te regardait. La situation t'était insupportable, atroce à tel point que maintenant tu fais l'intéressant, C'est ça ? Réagir pour qu'on t'aime ? Tu penses que changer d'allure va suffire ? Tu crois que l'amour vient comme ça, un jour clic, un jour clac, tu laisses pousser ta barbe et l'affaire est pliée ? Tu ne sais plus comment t'en sortir ? Besoin d'argent ? Tu lances une nouvelle mode ? T'attends que les gens t'imitent ? Tu veux être mannequin ? Pourquoi tu ne l'as pas dit plus tôt ? C'est ridicule, tu sais, ça ? Une barbe de trois jours c'est un truc de pédé. Tu t'en rends compte ? Je n'ai pas besoin de sortir pour savoir ce que l'on pense de moi. Le bruit a la capacité de s'accrocher aux murs. T'es un sale mec. Leurs voix montent, traversent la porte blindée de l'appartement, pénètrent ma chambre et grouillent sur la moquette rase.

Il y a peu, encore, je mêlais mes pieds aux leurs mais je me suis séparé de la bande. Il fallait m'enfermer, abandonner mon groupe et ces connaissances, ces voisins, ces inconnus que l'on croise sans prendre le temps d'aimer. Ces personnes que l'on aide à monter des poussettes neuves en haut de grands escaliers, à qui l'on indique le chemin dans les rues ou encore à qui l'on soulage le cul en les invitant à prendre notre place dans l'autobus. De toute cette masse, je ne veux plus rien percevoir, fini les demi-sourires et les quarts de politesse, ma vie recommence. Mon corps s'engage dans une salutaire absence.

En bref, je ne veux plus être moi. Je ne veux plus attendre. Je n'invente rien. Je ne me contenterai plus d'être comme je suis ni de penser comme je pense : je n'en peux plus de faire comme eux. Il faut partir, vivre ailleurs, sur un pôle ou en enfer. Quelque part où il est inadmissible de se limiter, de ne pas aller plus loin. Même s'ils gardent la capacité proprement humaine de parler, les autres sont fantômes. Et je ne veux plus les voir. Si j'ouvrais ma porte et descendais l'escalier, si je sortais les retrouver, je m'exposerais pour sûr à leurs sarcasmes. Ma barbe de cinq jours serait leur premier objet de bavardage. Mais je me suis trop montré ; j'ai investi ma cachette. La bande a le commentaire harnaché à la gorge. Un détail leur suffit. Le moindre changement physique, le simple vêtement neuf les égaie. Ils se moquent. Personne ne m'affirmera le contraire ou ne me soutiendra une autre hypothèse sur leur nature : il n'y a rien que j'ignore d'eux. Leurs réflexes, je les connais à en vomir. Je n'ai rien oublié de leurs placards : des chaussettes de sport cent pour cent coton blanc vendues par trois, des piles de marcels bariolés, griffés, numérotés, quelques bas de jogging synthétiques à virgule, des polos verts, bleus et rouges brodés d'un crocodile. Mon cerveau contient le nom de leurs frères et sœurs, pères et mères, oncles et tantes et même, souvent, les noms de leurs grands-parents. J'ai en tête, pour chacun, la liste de leurs frictions, de leurs hontes et de leurs origines. Leurs premières fois, leurs camarades d'études inférieures, rarement supérieures, leurs ennemis et leurs casiers judiciaires quoique fréquemment vierges. Leurs visages, je les reconnaîtrais brûlés. Nous avons tout partagé. Nous étions amis. Ensemble, nous paradions pour tromper nos lassitudes. Il fallait bien s'occuper et nous nous leurrions, tous, attendant la noyade. Pendant que je leur mimais le rire, que j'assurais la politesse d'intégration au groupe, je ressentais néanmoins, dégoûté, la désespérance de nos habitudes. Notre erreur totale. Elle me cassait, me délabrait, je ne sais pas, il n'y a pas de mot pour qualifier cette erreur, finale, ce vide de pensée, sinon dire que cette désespérance, d'hiver en hiver au rez-de-chaussée, m'était devenue insupportable. Alors c'en est fini. Je ne ferai plus les cent pas entre l'ennui et la plainte. Stagner entre les flaques et les autres. Je ne serai plus de leur délire. Entre nous c'est le rien. Il n'y a plus que leurs voix qui me reviennent. Je les imagine. Si je sortais, ils me brimeraient parce que, pour eux, on ne s'enferme pas. Ça ne se fait pas. Pas plus qu'une barbe qu'on laisse pousser. Pour eux, se raser et tout le reste d'une vie va de soi. Car l'ordre considère une petite barbe comme un début de rébellion. Ça fait négligé, c'est pas correct. Et pour qui doit, au vu de son origine sociale, se reprocher d'exister, les poils ajoutent au drame. On ne s'arroge pas le droit qu'un plus fort que soi n'a pas. À force de s'approcher, de nous palper les couilles et de nous taper le cul, les flics ont atteint leur objectif. Les jeunes de la bande se tiennent lisses et droits. Sans avoir conscience de se défiler, ils copient la propreté de leurs gardiens. Pour contrer le sentiment d'insécurité que nous provoquions, la mairie a rasé les jardins pour y construire un terrain de sport. Foot, basket, volley. La mairie lançait une balle pour nous empêcher de mordre les passants. Le chantier terminé, par honneur, nous avons démonté les filets. Pour un soir nous avons évacué la cage d'escalier. Il y avait mieux à faire que parler. Nous devions combattre le mépris. Après avoir détruit nos passés, nos chances, nous avons refusé leur stratégie de diversion. L'aménagement du terrain de sport nous avait enragés. Les élus, à qui nous n'avons jamais rien demandé, ont chargé la police de se montrer, plus que d'agir. Très à l'aise, les policiers ont commencé les rondes, les questions, le tutoiement. Ils ont connu nos prénoms, nos études, nos familles. Tout ce que les services sociaux savaient déjà. Ils se sont approprié notre vocabulaire et nos expressions ; nous sommes devenus aussi violents qu'eux. Plus personne ne fut admis dans le groupe. Nous donnions toutes les preuves que nous n'avions rien à cacher, que le mal était ailleurs, mais il fallait absolument l'identifier parmi nous. La police nous a donc chauffés. Généralement, un flic s'approchait du groupe une main sur le flingue, l'autre au menton, et nous toisait sans parler. Des minutes de silence insupportable pendant lesquelles il fallait se retenir d'émasculer le petit shérif. Nous comprenions leur tactique. Nous ne répondions pas. Comme nous ne jouions pas leur jeu, la pression s'est accentuée. Les insultes ont commencé, jusqu'au jour où nous nous sommes fait prendre : quelqu'un a répliqué. Ce soir-là, le plus vieux de la bande a lâché un Fils de pute dont ils se contentèrent pour nous tomber dessus. Laissant derrière nous quelques traînées de bile sanguinolente, nous dûmes rentrer chez nous tête basse, fracassés, exaspérés par cette injustice. Écœurés d'avoir été l'éboueur jeté dans la poubelle.

L'après-midi dure le temps d'un souffle. M'enfermer était vital ; j'en ai la conviction. Je devenais mauvais, méchant. Je respire profondément. Un petit somme en bavant sur les coussins du canapé. Je me réveille galvanisé. Je prépare un thé. Je fume une des rares cigarettes de la journée, celle que je préfère, d'après la sieste, et j'ai l'énergie de repeindre l'appartement, bouger les meubles, faire le ménage, les lessives, me lancer dans la préparation d'un flan au citron. Tout l'avenir devant moi. L'assurance de ne croiser personne pour me proposer une bière influe sur ma santé. Si cela devait arriver, en imaginant que l'on cogne à ma porte et que l'on m'invite à prendre un café, j'aurais la poigne de refuser. Je me laissais aller, souvent, mais je ne remplirai plus mes jours comme on remplit ses dimanches de cousins et de petites sorties. Une force revient, une force qui revient de loin – de l'enfance, je veux dire. Quand le sommeil repose si bien que l'on se lève avec l'élan nécessaire pour débusquer la boîte de jouets tout au fond des placards à portes coulissantes. L'entrain qu'on a en la retrouvant, cette boîte oubliée, et l'entrain encore avec lequel on sort ses jouets, des jeux de construction pour empiler des cubes tout un jour. Bâtir des pyramides, des ponts, des navettes spatiales et des routes. Faire bouger des bonshommes, vivre à leur place. Se balader au parc, dîner chez des amis, partir dans l'espace sans rien payer. Pas de péage, pas de peur – juste le frisson –, pas de chute à terre, pas de souffrance. Et des animaux partout, des vaches en ville et des chats dans les prés. Pas de travail à la chaîne. Un garagiste, un boulanger, un médecin.

Des ouvriers sans horaires ni patron. Des jouets libérés, vivants. En regardant l'eau fumer dans la théière je suis persuadé d'avoir expérimenté la liberté de ces villes en cubes. Faire la fête à toute heure, ça aussi j'en ai la force. Finalement, j'ai de nouveau l'énergie pour tout. Je bois une gorgée. La force de sortir, pourquoi pas. Je me brûle. J'ai mal et je me rappelle qu'à l'extérieur le mal est pire que ça. Je n'utiliserai pas ma nouvelle énergie pour quitter mon domicile. Je n'irai plus m'humilier. Je ne prendrai plus le risque de me faire défoncer par un camion au sortir de l'usine, quand les conducteurs sont si fatigués qu'ils brûlent les feux rouges, cassent un piéton en deux et pleurent toute leur vie de ne pas se sentir coupables. Je finis ma boisson. Ne jamais sortir. J'enfonce deux doigts dans la théière comme si je la faisais vomir. Je coince le sachet de thé gonflé et coulant comme une tumeur entre l'index et le majeur. Je presse. J'essore. Je perce la poche. L'expression est juste : je crève l'abcès. Comment a-t-il pu se former ?

La télévision est allumée. Je me lasse des rouages de la machine. Bulletin météo. Pluie donc pull, soleil donc chemisette. Les combines du système ne me surprennent plus, je suis lassé de ses ressorts, sa capacité d'étouffer, d'attirer, de faire corps avec sa matière – avec nous, qu'il déshumanise –, de feindre la mort tant de fois avant de renaître, impérial et plus grand car il nous tient en vie, c'est son devoir, il alimente notre compte en banque, juste assez, il compatit, alloue des revenus minimums, fabrique la normalité, maintient la misère, la misère est normale : plutôt que de saigner ses porcs, il les couve dans le foin, les marque au fer, c'est la sécurité sociale, les engraisse à l'agence pour l'emploi et leur conseille de se tondre. La météo finie, je zappe. Je regarde le bulletin d'une autre chaîne. Les mêmes prévisions me donnent raison. Sous le ciel tantôt short tantôt pull, l'égalitarisme cochonne la cochonnerie, quand tout s'équivaut, que les pets d'étable rejettent le même gaz, tous en rang, que les déjections fermentent à la même température. Aucune parole n'est plus valable qu'une autre et les torts de chacun s'imbriquent à ceux de tous. Depuis que les spécialistes prévoient une détérioration du climat, je m'impatiente. À quand le raz-de-marée, l'ère glaciaire ou la tempête de sable ? Porte fermée, les amis de côté, la journée passe et les suivantes passeront ainsi, sans fuir les cataclysmes. Au contraire, je dois résister à la lenteur de ce qui tarde à se produire. Dehors m'a terrifié. Les saligauds du métro remplaçant les cochons de ferme, improductifs, j'ai touché le fond de la peur. L'estomac dans la vessie, je voyais le troupeau incapable de s'insurger contre sa dépendance. Que faire sinon s'éloigner ? Des mots tels que destruction, peine, mal, danger, souffrance, horreur, je les ai dits. Personne ne prétendra que je n'ai pas prévenu. Tout le tralala, je l'ai déployé. Que ce soit devant la bande ou devant A. Je faisais mon boulot, je l'ouvrais mais on ne me croyait pas. On me laissait placer deux mots entre trois vannes et quatre blagues. On m'écoutait, on m'en donnait l'impression, et puis rien, pas de réaction. Les mots percutent du sable mouvant. Bah oui, Qu'est-ce que tu veux c'est comme ça, Ça changera peut-être un jour, Je sais pas faut attendre, Tu me fais rire, C'est mieux de se faire une raison. Au moins on est logés. Au moins on est jeunes. Au moins il y a l'usine. Au moins on rigole entre nous. Au moins nous avons appris des choses : comment démonter un terrain de sport, comment divertir l'ennui, comment répondre à un flic. À cette liste d'avantages absurdes, je pourrais ajouter : au moins, dans la bande, un seul s'est vraiment fait tabasser. Au moins, en ce qui me concerne, je ne suis pas ironique par aigreur mais par frayeur. Je peux continuer : au moins avec mes parents, on a entretenu la moquette pour que l'appartement reste décent. Elle est vieille mais elle ne pue pas. Au moins ma mère l'aspirait un jour sur deux. Nous retirions nos chaussures pour marcher dessus et mon père la brossait une fois par mois. Au moins, tenir la maison occupait ma mère. C'était une question d'honneur, de sérénité. Au moins ça. Au moins ma mère.

Peu avant sa mort, je n'écoutais plus ses remarques et sa maladie me libéra à moitié, comme je l'ai déjà dit, de cette fausse culpabilité à rejoindre mes amis d'en bas. Elle n'en fichait pas plus que nous – elle ne se levait presque plus –, et je revois les lèvres amusées de mon père quand je me plaignais d'elle. Toi encore, toi mon père, ce serait toi qui me ferais des commentaires alors que tu vas bosser tous les jours. Mon père, lui, ne critiquait pas sa femme et ne me critiquait pas non plus. Tant qu'elle était en vie et que je parlais correctement, tant que ses espérances si minimes fussent-elles se réalisaient, il ne gueulait pas. J'avais le droit de sortir car rester à la maison pour rester à la maison, entre quatre murs, bon, encore maintenant il est d'accord, c'est vite pénible. J'avais donc le droit de m'échapper du domicile et compter les heures, en bas, sur l'esplanade, inspirant dans l'air gelé quelques bouffées de pétard. Je tenais debout, parmi les autres et leur parole, leur parole et leur parole jusqu'à ce moment où mes yeux se fermaient tout séchés. L'imminence du sommeil. Tête embuée je rentrais, alangui, ignorant les bacs à fleurs en béton et leurs pétunias piétinés, et j'appuyais machinalement sur le bouton de l'ascenseur, direction mon palier, j'ouvrais la porte coupe-feu, avançais progressivement. Puis il fallait trouver les clefs, viser la serrure, pénétrer l'entrée, poser le manteau, retirer les chaussures, quelques pas dans le couloir, ne pas buter sur la barre de seuil, déblayer le sol de ma chambre à coucher et m'allonger sur le matelas, ne pas rêver, maintenir les yeux ouverts, éteindre la lampe. Les gestes s'enchaînaient intuitivement, tant dans la cage – ces parties dites communes – que dans mon appartement.

Ma résidence est ici, depuis toujours, zéro déménagement, et rien n'a jamais remis en cause mes réflexes corporels. À chaque lieu une position. Les épaules collées au fond de l'ascenseur, le bassin plus en avant pour ne pas buter sur la rambarde. Les genoux pliés, angle précis, pour inspecter le fond de la boîte aux lettres. Un bout de pied droit, énergique et souple, pour pousser la porte vitrée de la cage, l'entrée, et la tenir ouverte si quelqu'un suit. Ces gestes dont j'étais capable quel que fût mon état car repu, allègre ou fatigué, je me pliais aux contraintes d'équipement sans déployer de force. Du moins je le croyais jusqu'à ce que j'assiste à la maladie de ma mère, quand je m'aperçus, étrangement, que marcher n'était pas le plus fatigant. Ce qui éreinte, c'est de s'essuyer les pieds sur le paillasson, allumer le néon du palier ou comprimer le sac-poubelle que le vide-ordures n'avale pas. Je ne peux pas en dire plus sur les combines, la petite souffrance. J'en finis le plus vite possible ou bien je termine le cerveau éclaté et le ventre en larmes à force de repenser à l'extérieur qui allait trop de soi. Et me blessait, évidemment, à cause des images qui s'incrustent, changent le corps en pellicule, la chair en négatif et poussent à ne plus rien voir. Les yeux fermés.

Les yeux fermés, mon père se rend de l'usine à son cours. Si j'ai déjà inspecté son lieu de travail – une visite avait été organisée en l'honneur des familles endimanchées pour l'occasion, et je me rappelle précisément les halls, leur hauteur inhumaine, la chaîne de montage, les sas et les vestiaires, les femmes et les enfants bouche bée –, je n'ai jamais pu le voir à l'œuvre, transporter du métal ou serrer des vis. Officiellement, il s'attelle aux tableaux de bord quand sa journée de labeur se termine sur un tableau noir, dans la craie, où je l'imagine parfaitement pour y bénéficier d'un accès moins contraint.

Pour un exposé de fin de trimestre, je l'avais aidé à rassembler des documents sur l'aménagement du quartier. En vingt minutes, il devait retracer un petit historique des rues alentour, expliquer le choix des architectes, des politiques, des urbanistes. Pourquoi avoir construit de grands immeubles ici ? Pourquoi cette enclave contre le fleuve ? Pourquoi ici et pas ailleurs ? À quels besoins ces bâtiments répondaient-ils ? À l'époque, je m'étais rendu à la mairie, à la bibliothèque, aux archives municipales. J'avais pris des notes et, munis des illustrations les plus intéressantes, nous avions rédigé l'exposé ensemble. Je l'avais fait répéter pour qu'il se détache de ses bristols, qu'il soit à l'aise, et le grand jour j'étais venu le chercher à la sortie du boulot pour l'accompagner jusqu'à son cours et récapituler, le temps du trajet, les erreurs faciles à éviter. Quelques dates.

Dans le petit local où les cours ont lieu, peint en bleu clair, les murs écaillés, il se tenait droit sur l'estrade. Ses collègues prenaient des notes, faisaient comme si. Mon père parlait calmement en dépit de l'angoisse et de l'humiliation de se retrouver à la place de l'élève, son fils. Il fallait du courage. Tant de courage et d'humilité qu'à la fin tout le monde a applaudi. Le professeur l'a félicité. Mon père m'a remercié publiquement, puis l'un de ses camarades s'est approché alors qu'il m'embrassait. Il nous invitait à dîner. Après un saut à l'appartement où nous avons récupéré ma mère, elle aussi conviée, nous avons dîné dehors, donc, chez cet ami-là où quelques autres de ses camarades de classe attendaient leur héros autour d'une table décorée comme pour un mariage. Le béton sec du quotidien se liquéfiait. Il faudrait faire ça plus souvent, disait-on. C'était la fête, le vin. On ne pensait plus au travail du lendemain – qui fut sans doute plus pénible que les autres jours. Le bonheur était court. Pour supporter le médiocre il ne faut pas toucher l'exception.

Ce jour-là, je me suis empressé d'appeler A., qu'elle nous rejoigne. Elle ne connaissait pas assez bien mon père, disait-elle, pour participer à la fête, et les changements de planning ne s'opéraient pas comme ça. Il fallait prévoir les rendez-vous et les montées du désir plus à l'avance. Elle avait simplement accepté qu'on se retrouve à la maison avant que mes parents ne rentrent. Mes genoux sautillaient d'impatience. Pendant le dîner, je n'avais rien en tête sinon retrouver mon appartement vide, sans parents. Allumer les lampes, une à une, et le redécouvrir propre et rangé. Empressé de faire l'amour, je finissais mon verre de vin les mains brûlantes.

Je me suis levé, Bonsoir et merci. Les collègues de mon père appuyaient leurs joues sur les miennes aussi virilement qu'ils pouvaient, bouche fermée, tournée à l'extérieur, me signifiant par cette pression-là que j'étais le digne successeur d'un père respecté. J'étais le fils, l'ouvrier d'après. Et j'avais bien raison de me rentrer si c'était pour baiser. Les tapes sur le dos redoublaient. M'accompagner ne leur aurait pas déplu. Ils auraient bien sorti leur bite, eux aussi. Les occasions manquaient et je sortis sous de bonnes blagues de frustrés. Plus tard, quand il fallait évoquer ce dîner, mon père remerciait le ciel tandis que ma mère, inopportunément obsessionnelle, ne se rappelait plus que la fatigue du lendemain. Reculant à pas d'heure le digestif, le café et les remerciements de fin de banquet, elle s'était sacrifiée ; et me le soufflait. Elle m'en voulait d'avoir profité sans remords de l'appartement. Elle m'accusait d'avoir fait l'amour, d'avoir joui. Mais rien de cet épisode ne me rendait coupable, d'autant plus que A., oppressée par l'arrivée imminente de mes parents, ne voulait pas faire l'amour ou alors très très vite, ce dont je n'étais plus capable depuis que j'associais la rapidité à la fuite, la lâcheté. La course pour échapper aux flics.

Mon père ouvre la porte. Rien à signaler à propos de son cours sinon la date de son prochain examen. On mange et c'est la nuit. Il bâille. J'éteins la lampe du salon pendant qu'il se brosse les dents. On s'embrasse dans le couloir et je ferme la porte de ma chambre. De part et d'autre des cloisons, tout le monde dort. À peine le temps de finir une partie sur ma console que la bande du rez-de-chaussée est claquemurée. Avant de tirer le volet roulant je regarde la rue, quelques inconnus. Je me demande pourquoi les voitures ont besoin de rouler à cette heure. De quel point à quel autre se rendent-elles ? En existe-t-il pour faire un tour en ville, seulement par ennui, par plaisir ? J'ai vue sur les talons dans le bitume des prostituées du quai à sens unique et, derrière, sur l'île, le fleuve, l'usine. La plupart des véhicules cherchent une fille, avancent lentement, parient sur l'avenir. Si je m'arrête pour en prendre une, qui me dit que la pute d'après ne sera pas plus belle ? Impossible de faire demi-tour, il faut connaître le coin, ou tourner à gauche, se perdre dans les petites rues et remonter le quai par l'intérieur. Mais les autres caisses, celles qui ignorent les poupées de vinyle, roulant droit, quel but suivent-elles ? Traversent-elles le continent pour s'assurer qu'il s'achève en bord de mer ? D'en haut, les plaques d'immatriculation sont indéchiffrables. On ne sait rien de ces gens qui passent – et réciproquement. Le jour, la place est à nous mais dès lors qu'il fait noir, les étrangers investissent la périphérie et ne se gênent pas pour tirer leur coup, croient-ils, loin des regards. À cet instant, ils n'imaginent pas qu'habite derrière nos volets roulants une foule composite qui les précède, quadrille l'espace à l'heure des sorties de crèche, quand les poussettes s'en vont aux courses, ou bien à la sortie d'usine, les ouvriers en marche pour le bar-tabac. Deux mondes si claustrés qu'un meurtre au sein de l'un ne perturberait pas l'autre. C'est la paix de l'entre-deux-jours. Les voitures gardent leurs putes et les flics surveillent leurs immeubles – nos prostituées sont plus loin, plus au nord, dans le bois, où les clients profitent d'un certain anonymat. Là-bas, on ne les reconnaît pas.

Je pourrais descendre, stopper une voiture, suivre quelqu'un, faire un tour, faire la pute, me faire avoir. Quitter mon père avant qu'il ne se réveille comme j'ai quitté la bande. Partir sans mémoire, feindre le changement de vie. Me faire embarquer, cap sud, jusqu'à la côte. Puis dégoter un petit logement dans un quartier de maisonnettes. Me consumer dans une vie moins bruyante. Logé dans de la brique et de l'ardoise, investir une ville apparemment plus calme. Tailler les haies en semaine, faire mon lit, arroser les plantes, acheter des blettes au marché, attendre le printemps et ses bourgeons, devenir champion de mots-croisés, tondre le gazon, passer l'éponge sur le mobilier de jardin après la pluie et fermer la porte à clef quand il faut partir pour la gare. Accueillir A., un week-end sur deux. Lui montrer la brique, l'ardoise, les haies, les plantes et la pelouse. Les fleurs, dont elle se fiche. L'engueuler parce qu'on ne se moque pas de mes plants de tulipes. Se chamailler pour mieux faire l'amour après, sans accessoire. Ne pas faire attention au chien derrière la porte. Car l'autre vie, forcément, commencerait par un chien. L'appeler Largo. Mais voilà que les voisins s'essuieraient déjà les pieds sur le paillasson, caresseraient le ventre de la bête et lanceraient des invitations. La gentillesse recommencerait. On se dirait bonjour. On se donnerait rendez-vous devant le garage. On témoignerait de sa vie. On prendrait son verre à la buvette de la galerie marchande jouxtant le supermarché. On déjeunerait dans des restaurants où l'on sert des frites à volonté. On serait heureux. On rigolerait des blagues radiophoniques. On s'interpellerait sur les parkings. L'autre vie est possible, plus loin, mais l'autre vie, à un chien près, ne sert à rien. Partout les roulettes de caddie font le même bruit. Plus loin, nuit et jour reposeraient l'un sur l'autre, pareil. Là-bas, c'est périr calmement en cherchant la lumière. Ici, c'est crever brutalement les yeux dans la lune.

Jour 6

Les tuyaux d'écoulement crissent. L'humidité ronge le béton et les corps. Mon père se lève. Il tire sa chasse d'eau.

Un jour, en revenant d'une balade au parc, il me faisait remarquer que toute grande ville se construisait autour de l'eau. Pour preuve, il me montrait notre immeuble moite, l'île et l'usine d'en face. Il me disait C'est partout pareil. Les villes et l'eau. Depuis, dès qu'on montre une ville aux informations télévisées, il me dit Tu vois là-bas c'est pareil. Les fleuves ou les mers ou les lacs, les immeubles, le bruit, les usines, il imagine toujours la même eau. Sa culture géographique dépasse la mienne, je ne le distancerai jamais sur ce point mais je me méfie de ses Partout pareil. Quand il imagine que c'est partout pareil, mon père se réconforte. Non, il n'est pas différent de ces millions d'ouvriers du monde. Son sort est banal, et quand les journaux évoquent des pays apparemment plus malheureux que le sien, il se console, oublie que chaque matin il trace en vitesse et revient chaque soir le corps plus noir. Il m'explique Ils ont des fleuves, comme nous, ces gens-là, ils vivent pareil, mais en pire parce que, eux, on peut les virer sans prévenir. Nous, au moins. Mon père estime sa vie comme une vie normale, quand son fleuve silencieux lui apporte une maigre richesse en échange d'un travail de forçat. En vérité, le fleuve est un vacarme, la source insoupçonnable d'un chaos mais je ne le contredis pas, jamais. Je n'ai rien à lui prouver. Je n'ai pas à lui démontrer que les berges sont invivables.

Le robinet du lavabo est ouvert. La lame du rasoir touille l'eau chaude. La mousse à raser se liquéfie. Les poils se collent à l'émail. Les joues lisses, il vient m'embrasser. Bientôt l'heure de partir. Il est en retard et la porte se ferme aussi vite que la nuit tombe dans le coma. Je mets de la musique. Mon père parti, je reprends du café, j'aère les pièces. Le vent soulève les rideaux, la poussière et les pages de revues jetées sur le sol. Je classe les magazines par titre. Je sors de la corbeille en osier du linge propre. Je repasse des tee-shirts, des draps, des pantalons. Je plie des serviettes blanches plus très blanches. Je les empile parfaitement. À la fenêtre, je secoue un plaid, jette des enveloppes déchirées et des publicités. Je sors l'aspirateur. Je change le sac, déroule le fil, le mets en marche. Je passe partout, sur les plinthes et sous les meubles. Je ne me cogne pas. Je ne suis pas brutal, ni dans l'entrée ni dans les chambres. Trois pièces, au total. C'est ce qu'on dit : un trois pièces, parce que la cuisine, les toilettes séparées, le débarras et la salle de bains ne comptent pas. Je nettoie. Le disque est fini ; j'en insère un autre dans la platine. Plus fort. L'air refroidit vite mais je dois respirer. Jour après jour la moquette est plus rase. L'appartement de plus en plus vieux. Je dégraisse la cuisine, je détartre la salle de bains, la cuvette jaunie des toilettes. On détartre, on détartre, mais le tartre s'incruste malgré tout. Je frotte, j'enlève les traces orange et noires. Sous la bombe à raser, un cercle de rouille contre lequel on peut encore agir. Mais pour le jaune calcaire, c'est foutu. Net sentiment d'impuissance – qu'y puis-je ? Le ménage se termine. Je brûle de l'encens. Le deuxième disque s'achève. La musique ne joue plus. Un brouhaha prend la relève. Les voix viennent d'en bas, gravissent la façade. Des bouts de phrases très familières recouvrent les murs. La bande. À la fenêtre, je tape les coussins les uns contre les autres. Personne ne s'en aperçoit ; de la poussière tombe sur le groupe. Je replace les coussins troués sur le sofa. Ils sont plus propres mais plus râpés, comme si l'usure me pourchassait.

À mon tour de me laver. Être pur. Résister. Je me cure les oreilles. Je me ponce la plante des pieds. Je dissous des traces de colle extraforte sur les avant-bras. Je continue. Prendre une pince et couper les cuticules, désinfecter les plaies microscopiques, les gelures, pommader les bleus, un pansement sur une ampoule, entre le pouce et l'index, attendre que les croûtes tombent d'elles-mêmes plutôt que de les arracher. Se brosser les dents. Ne pas cracher de sang. Garder de l'hémoglobine pour respirer, entièrement. Ne pas me faire attaquer. Ne pas saigner. Comme une caricature de chômeur, je ne me rase plus et retrouve ma barbe, donc, piquante à force d'avoir été coupée. En m'enfermant, je ne pensais pas changer mon rapport au corps. Aujourd'hui, je le surveille davantage. J'y guette les indices d'une activité interne. Quand le battement d'aile d'un papillon déchaîne le ciel, de quelle force est mon corps ? De quelle force est le ciel ? En me laissant pousser la barbe, je me protège en vain : on ne s'imperméabilise jamais. Les muqueuses prennent l'eau, toujours, par l'anus, la bouche ou le gland. Les poumons se remplissent d'air, et rien que ça, c'est le début de l'agression.

De l'autre côté du fleuve, dans la maternité de la ville voisine, là où je suis né, les gosses s'extirpent des ventres, poussent leur premier cri ; la poitrine est le premier organe à brûler comme du bitume liquide. Puis c'est l'habitude. Avec l'âge, mon seuil de tolérance à la douleur physique n'a cessé d'augmenter. Quant aux bobos moraux, depuis le début c'était gâché. Question de gènes ? Là où il est possible d'aller bien, je ne sais pas me rendre. Quant à me pointer là où tout va complètement mal, je n'en ai pas la volonté – dans un cercueil, je veux dire ; près des étoiles, quand les ongles, les cheveux et les poils se prolongent comme s'ils se délectaient des limaces et des vers enterrés, à l'image de nos familles encellulées, grouillantes, bavardes, affamées.

Les fenêtres encore ouvertes. La bande s'est dispersée. Les voisins se croisent. Bonjour. Comment ça va. Les enfants. Qu'ils sont beaux. Qu'ils grandissent. Qu'ils vont à l'école. Qu'ils iront loin c'est sûr. Le temps, on n'y peut rien. Un jour il faudra qu'on s'en aille. Plus au chaud, éviter les rhumatismes. Et puis le quartier est de moins en moins sûr. Dehors il faut faire attention. Un garçon, ça craint moins qu'une fille. C'est pour mes filles que j'ai peur. Il faut voir comment elles s'habillent. La mode. C'est indécent. Je lui ai dit Tu ne peux pas mettre ça. Une fille, ça ne s'habille pas avec des jupes courtes comme ça. Et quand elle ne met pas des jupes, elle met des joggings. J'y comprends rien. Elles rentrent tard. À son âge, je n'avais pas le droit. Et puis ça craignait moins. Le bar-tabac, ça ne fait pas si longtemps qu'il a brûlé. C'est quand même dingue. Il paraît qu'ils ont les noms. La police a trouvé qui c'était mais ils ne veulent pas dire. Ils ont peur. Le bar-tabac a rouvert et on ne sait pas qui a fait le coup. Bon, ça fait quand même plus propre. Il n'y a que l'immeuble, qui fait toujours aussi sale. Ils pourraient faire un ravalement. Ils en profiteraient pour changer les boîtes aux lettres. Enfin on n'est pas propriétaire, toujours pareil, on ne peut pas faire grand-chose. On envoie des lettres, des recommandés, ça coûte une fortune et ils ne répondent jamais.

Heureusement qu'à part ça, ça va pas trop mal. Pas de mort, quoi. Et vous. Et toi. Comme ci. Comme ça. L'usine ne fatigue pas que ceux qui y travaillent. Elle épuise tout le monde. Elle fait peur. Elle n'est pas éternelle. Arrivera bien le jour où. Vous rendez compte. Qu'est-ce qu'on deviendrait, franchement. Sans l'usine. C'est pour ça que les études c'est important. Mais les enfants ils n'ont pas l'air de se rendre compte. Ils nous tiennent des discours comme quoi ils veulent être grands et faire quelque chose de leur vie mais ils sont même pas capables d'en foutre une à l'école. Faut le faire. Ça, pour les distractions, le cinéma, on se bouscule à la porte. On achète les tickets, on fait la queue, on perd un temps fou. On sort l'argent comme s'il en pleuvait. D'ailleurs vous avez entendu la rumeur. La mairie voudrait fermer le cinéma. Fermer l'usine et le cinéma, vous vous rendez compte. Ils veulent nous tuer, c'est ça. Ils sont plus forts que nous. On n'y peut rien. On les dérange. Ils nous auront.

Je ferme les fenêtres et décroche le téléphone. Quelqu'un à qui parler – j'ai les défauts que je fustige. Pourquoi A. ne répond-elle pas ? La sonnerie hypnotique se répète comme la boucle la plus triste de toute l'histoire de la musique électronique. J'attends le lendemain pour me demander si elle est au courant de la nouvelle. La fin de l'usine. La fin du cinéma.

Jour 7

Elle sonne. Je lui ouvre. Elle m'embrasse. Elle sent le chewing-gum à la menthe. Elle commence par dire qu'on ne fera pas l'amour aujourd'hui. On doit se frustrer, elle dit. Il faut voir ce que ça fait.

Moi : Non.

Elle : D'accord, mais on le fera, ce truc-là, on essaiera une autre fois. Elle sort de ses sacs en plastique de quoi manger. Je n'ai pas faim. Je la regarde mâcher. Elle associe principalement les chips au Coca sans sucre, les pizzas au vin rosé, le fromage au vin rouge. Je l'aime pour ça, aussi, et parce que, avec elle, ma vie a changé. Quand elle allume une cigarette, par exemple, elle chope dans la cuisine le cendrier qu'elle préfère sans me demander si ça me dérange, comme au début, ou s'il n'y en a pas un autre, moins fragile ou plus beau. Je laisse faire, j'accepte qu'on touche à tout, qu'on m'embête. En échange, pour matérialiser les sentiments, je lui donne des bouts de moi. J'étais d'accord, quand elle a voulu me ronger un ongle, m'observer pisser ou me couper les cheveux un ruban noir sur les yeux. Aussi, quand elle me manque, je lui prépare des cadeaux. J'emballe des bateaux, des oiseaux et des soleils en miniature et des disques que je lui copie. Les courses rangées, je la remercie. J'ai beau l'implorer de ne pas dépenser autant, elle continue.

Elle : J'y vais pas exprès, j'y vais d'abord pour moi. Je prends ce qui faut au passage.

J'incline la tête. Je m'approche de sa bouche qu'elle garde fermée. Elle me caresse la joue. Ça va me faire mal, ta barbe. J'ajoute Il n'y a pas que ça qui te fera mal, maintenant. Ah bon ? Je sais pas, le fait que je ne sorte plus, que je reste à la maison tout le temps, tu sentiras peut-être comme une absence, un découragement, un laisser-aller qui peut te faire mal, non ? Elle retire ses boucles d'oreilles, les pose sur le frigo, elle avoue Oui, peut-être, mais que tu restes chez toi, ça ne change trop rien, on ira moins au cinéma, c'est tout, je passerai te voir plus souvent l'après-midi, je m'arrangerai, mais ta barbe, là, qui pique et tout ça, si tu veux me faire des trucs, je sais pas. Je lui demande si elle est au courant pour le cinéma, mais le jet du robinet couvre ma voix. Elle remplit la bouilloire, allume la plaque. Bon, elle continue, du moment que tu te transformes pas en araignée, comme dans le livre, là, tu sais, où le type il ne peut plus bouger de son lit, quand il devient tout gluant, du moment que t'es moins chiant que ce putain de livre, tout reste pareil. Je lui réponds Dans le livre dont tu parles, c'est un cafard, mon amour, un cafard. Oui enfin bon un cafard une mouche une araignée ce sont des insectes, quoi. Oui mon amour. Des insectes, t'as raison – des animaux qui comme toi n'auraient pas répondu au téléphone hier soir. C'est ça.

Après le sexe, A. laisse tomber son corps sur le matelas. Elle chantonne à plat ventre et papillonne des pieds comme pour s'extirper des canalisations, des ascenseurs, des interphones et des fils électriques qui l'étranglent. Pourquoi ne pas mourir ensemble ? Non seulement dans le même immeuble ; sur le même palier. Même porte, même sonnette, tous les deux sur un lit, dans ma chambre, nos corps coincés dans la pile des logements humides et symétriques.

Quand la municipalité a mis en branle les projets de construction du quartier, il fallait faire vite. Quatre pans de béton coulés sous la pression démographique. Il fallait répertorier les familles. Consulter l'office des achélèmes. Les priorités. On ne voulait pas de bidonvilles. L'usine à voitures ne cessait d'importer de la main-d'œuvre. Elle venait de loin, du sud, à rebours du quai. Elle ne faisait pas peur car on allait tout lui prévoir. Lui construire un toit, des toilettes et des cuisines électriques. On la rangerait rapidement, qu'importent les infiltrations du fleuve. Les ouvriers allaient dormir pour bien produire. Leurs déplacements à l'autre bout de la ville, encore plus au nord, en métro ou en car affrété par l'usine, leur tassaient les vertèbres et réduisaient leur productivité. Autant qu'ils marchent peu, qu'ils ne traversent qu'un pont, que leur balade du matin soit réduite. Ils n'arriveraient plus en retard, ils s'absenteraient moins – la chaîne ne serait plus jamais rompue. Bâtir pour le nombre en face du fleuve et de l'usine était la bonne solution. Le chantier fut expéditif. Notre immeuble était prêt et des années après, quand les vacanciers reviennent de la mer, rejoignent la grande ville par son entrée ouest, la construction est immanquable. À moins d'avoir mieux à faire, comme regarder la route. Sa forme n'est pas originale. C'est une barre aussi large que haute dont le nombre de portes s'est réduit d'année en année jusqu'à ce qu'il n'y en ait qu'une, au milieu, pour faciliter le contrôle des entrées et des sorties. À part l'humidité, pas de défaut sensible d'origine. La simplicité architecturale évite les bévues. Pourtant, dans le quotidien qui s'y est installé, le vice est d'origine. Passons. C'est un abri rationnel. Ou, pour reprendre les voisins, un immeuble dit fonctionnel. De part et d'autre de la colonne d'ascenseur, les appartements s'empilent sur une multitude d'étages, chacun respectant l'indélébilité d'un plan au sol strict. Le salon des uns est au-dessus du salon des autres. À gauche, tous les logements sont ainsi conçus de la même façon. Des trois pièces commodes : porte blindée, une fenêtre par pièce, exposition ouest, petite salle de bains et toilettes indépendantes, grands placards à portes coulissantes dans le couloir, couleur crème, moquette rase, brune, linoléum dans une cuisine étroite, rectangulaire, avec, au fond, un cellier. Le chauffage au sol est collectif, et, la nuit, l'usage veut que l'on dorme tête au nord, tandis qu'à 6 h 30 les premières bouteilles de lait vides tombent à la verticale dans le tube à ordures. Les emballages plastique, pourvu qu'ils soient rigides, résonnent du dernier au premier étage en rebondissant sur les parois métalliques. L'atterrissage des déchets est d'autant plus sonore qu'ils sont jetés de haut. Comme chez l'humain, l'accès aux bennes réceptrices s'effectue par l'arrière de l'ensemble. Les odeurs contenues, le rez-de-chaussée n'en est pas moins désagréable à vivre. Si l'imagination des architectes est capable de tout, néanmoins, il était amoral d'y prévoir des appartements. À moins d'avoir littéralement la tête dans le cul, on ne loge pas une famille, fût-elle pauvre, contre un sphincter. Le local à poussettes et vélos, les compteurs, le panneau d'informations générales à l'intention des habitants, l'entrée du parking, la loge du gardien et les boîtes aux lettres y sont plus légitimes, ainsi que des placards dont on ignore le contenu, le détenteur des clefs et la dangerosité. Parfois, je me demande si les avertissements Danger Haute Tension n'ont pas été placardés pour détourner notre attention des peintures. Qu'on ne les salisse pas, qu'on ne fasse pas l'amour contre. Avant de m'enterrer, il me restait quelques placards à forcer. Des recoins vierges à connaître. Des boîtes de Pandore électrifiées, mais qu'y trouve-t-on ? De quoi nous faire sauter ? Allongé contre A., l'expression brûler d'amour me débecte autant que l'idée de s'ignifuger. Pourtant nous savons tous qu'ici, le tout collectif, le tout électrique court-circuiterait, que les flammes ne prendraient pas. D'accord nous somnolons dans notre sueur mais l'humidité envahit tout, s'accumule, surgit à la moindre fissure. Sur chaque palier, les extincteurs rouillent et périment. Ils intriguent les enfants sans pour autant les amuser. À leur âge, nous forcions la sécurité des bombes et c'était l'avalanche. Les neiges artificielles à l'odeur de white-spirit marquaient nos vacances du printemps. L'extincteur bloqué entre mes jambes, accroupi, j'imaginais transpercer nos fantômes par la puissance du jet en même temps que nous convoitions prosaïquement le titre du meilleur éjaculateur. Celui qui giclait le plus loin gagnait l'autorité. Étage après étage, le stock de bombes rouges diminuait. Le soir, les carcasses d'extincteurs tombaient dans le fleuve et plus tard dans la semaine, le service de nettoyage briquait les paliers. La perte de munitions n'était signalée qu'après des mois, un an – l'eau imprégnait la structure un peu plus et retardait de fait, le danger s'amenuisant, la régularisation du dispositif anti-incendie. En cas de malheur, A. jure qu'on puiserait dans le fleuve, mais je suis persuadé que notre fin n'arrivera pas par ce côté – qui a vu un mur d'eau prendre feu ? Elle se rhabille, garde la main sur la porte le temps de m'embrasser. Je ne lui promets rien quant aux flammes à ne pas craindre. Aux efforts que je poursuivrai pour la garder ignée, intacte, mouillée.

Le bas du corps pend, jambes croisées. L'exercice est douloureux. Accroché à la barre fixée dans l'encadrement de ma porte, entre le couloir et ma chambre, je tire mon buste vers le haut. Afin de pallier le manque d'activité physique, je profite de mon corps déjà sale par l'amour et le secoue encore. C'est l'effort de ma liberté, ma seule contrainte. J'accepte. Je saute à la corde. Je ne compte pas les sauts. Un disque passe en entier. La sueur coule. Ça goutte. Sur ma serviette de sport je saute pieds nus et joints. Je travaille les abdominaux. Je bois de l'eau à température ambiante. Je m'endurcis. Je vise la régularité, les progrès qu'elle permet. Je fais des pompes. Je travaille les pectoraux – le moins désagréable. Les poumons puisent profond. Je m'essouffle. Ils s'écartèlent, attisent mon sang, l'air pénètre violemment, mes alvéoles décuplent en taille, en poids, en chaleur, je me garde en vie, la température de mon corps détonne, je transpire, c'est la fièvre, ce n'est pas le moment de mourir car je brûle de force, pas d'amour, j'évacue, évidemment qu'à l'intérieur tout chauffe et que l'énergie déployée n'est rien quant à l'explosion qui se prépare au-dehors et face à laquelle il faudra résister.

Mon père rentre du travail. Je sors de ma douche, noue une serviette autour de ma taille. Il m'embrasse et la dernière chose rassurante est ce visage de cambouis, inchangé. Ses vêtements imprégnés de la fumée des gros cigares du bar-tabac. Alors, ta journée ? Il s'assoit sur le lit de ma chambre. J'enfile un jean. Il se déchausse, enlève ses chaussettes à carreaux. Passé un âge, les chaussettes cessent d'être blanches mais s'achètent encore par trois. Je lui réponds Rien de spécial. Je reste au calme. Il dit J'espère que je ne vais pas t'énerver alors. Il me félicite – peu lui faut, la maison est rangée –, se lève et s'en va jeter ses chaussettes dans le panier à linge sale. J'allume la télévision. Il se douche à son tour. Je m'assois dans le salon. Je grignote. Il s'habille, bricole, farfouille. Des bruits de placard insistants. Il cherche, déplace trop d'affaires pour que tout aille bien. Il s'assoit à côté de moi, sans autre égard que pour sa manigance. Je mets la main dans le paquet de biscuits secs quand je le surprends un gros classeur à couverture rigide sur les genoux. Il me fait Regarde, c'est marrant, tu te souviens ? Je fixe l'écran : des villes, des fleuves, des lacs, des mers. Surtout pas de ces Partout pareil que mon père a l'habitude de remarquer. À la télévision, les catastrophes m'étranglent moins le cœur que ce qu'il tient à me montrer. Pourquoi tu regardes pas ? Comme chaque fois qu'il a peur, mon père me fait le coup de l'album. Mon indifférence le gêne. Ça t'intéresse pas c'est ça ? Je lui dis Excuse-moi j'ai la tête ailleurs. Il me tend la photo : Alors, tu te reconnais ?

La table est mise. Vous deux et moi, avec la chance qu'on a, celle que tu me rappelles tellement de fois. Foutue chance qu'on a. Je ne te l'avoue pas : je ne me reconnais pas. Évidemment c'est moi – qui d'autre s'immiscerait entre vous deux ? – mais je m'oublie, c'est normal, je n'ai rien gardé de cette douceur, ce bien autour de moi, comme je ne comprends pas non plus mon sourire, toute cette nourriture sur la table qu'on a décidé de prendre en photo, au second plan. Le besoin de fixer le grand moment, l'occasion. Avait-on l'idée, il y a plus de vingt ans, de comparer nos espérances à l'exécution du futur ? Si l'on rêvait d'un monde meilleur, quelle envie de constater que la table de la cuisine est bancale, que le papier peint se décolle pan après pan, dégât des eaux après dégât des eaux, que les meubles de la cuisine, ceux du haut, ne tiennent plus que d'une cheville. Oui, on a consolidé les fixations mais viendra le jour où. Elles nous tomberont dessus. Je lui rends l'image. Alors tu te reconnais ? Je dis Oui. Tu venais pour entendre cette réponse alors je te dis oui. Tu t'étonnes. Oui, et ça me fait plaisir de les voir, ces photos. La chance qu'on a, si ça peut te rassurer. Je dis ça, je dis rien : le rassurer de quoi, en effet, alors que les couleurs du passé effrayent plus que le grondement d'une usine à plein régime ? Succèdent aux souvenirs de fêtes quelques photos d'identité. Quand nous n'avons plus été que deux, nous n'avons plus rien commémoré. Je ne voulais pas. Ce n'était pas faute de le proposer, mon père me disait On pourrait faire un petit truc, un bon repas. Je ne réagissais pas. Après l'enterrement, mon père n'a plus classé que des photomatons pris dans la machine du métro. Sur fond blanc, comme la préfecture l'exige pour les passeports, il porte sa chemise mauve, impeccablement repassée. Trois ou quatre ans plus tard, son vêtement officiel est rangé dans la penderie. Il ne le remet plus et son passeport traîne dans le tiroir de sa commode, vierge de tampon. L'étranger coûte cher, comme je sais tout aussi bien qu'il ne voyagera pas sans moi – quant à moi, hein, a-t-il seulement remarqué que je ne sortais plus ? Et l'appareil photo s'est perdu dans un placard. On pourrait le retrouver, avec son pied, son flash et son retardateur, je pourrais me raser pour la circonstance mais à quoi bon puisque l'humeur n'est pas là. Certaines photos n'ont pas le cœur à exister et celles que mon père prendrait aujourd'hui maintiendraient hors cadre la façade du cinéma, comme s'il restait à inventer. S'il devait photographier notre vie, il évacuerait de ses prises de vue tout ce qui brouille le regard. Exit les fumées d'usine, les policiers, les couleurs crades.

Il rapporte le trésor dans sa chambre. Je l'évite du regard. Ces photos le rassurent : finalement, rien n'a bougé. Nous ne semblons pas si malades. Le temps fait son boulot comme demain mon père se rendra au sien. Il s'est forgé un espoir, croire en moi, et s'est éloigné de la mort en me léguant sa mémoire, un vieil album, son intime conviction que j'échapperai à l'usine et son odeur qui écœure tant de foies. Mon premier et dernier diplôme lui suffit. Si je devais travailler pour l'usine, dans la construction des voitures, je ne me rendrais pas sur l'île. Mon père, lui, me verrait davantage dans les bureaux du continent, aux alentours, là où les couloirs à la moquette propre se ressemblent, chez les cols blancs, où l'on n'est pas un manuel, mais un intellectuel, quelqu'un qui réfléchit pour ces corps et ces bras qui ne pensent pas. Pour lui, mon diplôme accroché dans l'entrée garantit des mains fines, à peine tachées d'encre, des machines à café devant les portes d'ascenseur, des discussions cordiales, des feuillets annotés, des comptes rendus de réunions, là où naissent des directives elles-mêmes déterminées par l'étude de ratios et de chiffres qu'on analyse. En obtenant mon diplôme, je lui décrochais une lune. Ta mère aurait pleuré, il avait dit, et plus tard, en plantant le clou dans l'entrée qui allait supporter le cadre en macassar acheté pour l'occasion, il a pleuré aussi, pour ce papier que je méprise. Ce titre donnant droit à des avantages en nature et symboliques, comme téléphoner du bureau ou donner des ordres à la première secrétaire disponible. Le chômage lui est terrifiant, insurmontable. Seuls les diplômes le rassurent. Alors il surestime le mien. Ce titre valant moins qu'une poubelle. Un diplôme, quel qu'il soit, est suffisant pour attendre le jour où les places se libéreront, pense-t-il. Pour lui viendra le moment opportun où je n'aurai qu'à dire que mon père travaillait sur l'île pour intégrer le salariat, et si l'on prolonge le raisonnement, A. n'a pas d'inquiétude à se faire non plus. Elle a bien son diplôme, elle aussi. Elle pourra devenir ta secrétaire ! Dans les films, les cadres trompent leur femme avec leur secrétaire mais toi tu n'auras qu'à prendre ta future femme, direct, comme secrétaire. Si tu veux, même, je lui en parle, parce que je sais bien, moi, que comme vous tous, les jeunes, là, elle n'a pas de travail. Ça l'aiderait. Sauf si bien sûr tu gagnes assez d'argent pour qu'elle puisse rester à la maison. D'ailleurs, pourquoi elle s'installerait pas avec nous ? Ah, ce serait pas formidable, ça ! Une petite bonne femme comme avant. Je crois qu'elle m'aime bien, non ?

Pendant longtemps, mon père a voulu que l'on fasse l'amour à trois. Du moins m'en donnait-il l'impression tant il briguait les filles que j'invitais à la maison. Dès que l'une d'elles partait, il me la commentait surabondamment, comment elle est bandante, putain ces fesses, en dépit de mes sentiments, jusqu'à ce que je lui propose, histoire de réprimer son désir poussif, que nous en partagions une. Il avait mimé trop de pulsions, quand devant des pages de magazine il me faisait Tu l'as vue celle-là, cette paire de seins. Il surévaluait les capacités extatiques de sa bite et transposait ses réflexes libidineux sur mon cas. Il me les fallait toutes. Son désespoir m'inquiétait. Il n'y avait rien à faire, sinon attendre qu'une femme s'intéresse à ses crampes tandis qu'une autre s'occuperait de mon gland

Les corps caverneux cartonnés, il ne demandait en fin de compte que peu de cul comparé à cet espoir tu et tendre qu'on lui caresse l'épaule. Ma mère était la dernière femme qu'il avait connue, et quand je lui proposai de l'intégrer à mes aventures pour le provoquer, qu'il réagisse, il pencha la tête et ne dit rien. Je l'avais poussé trop loin.

C'est ça : dormir. Que le sommeil se plie à la pénombre, aux heures. Sans travail ni convocation solaire, le corps dégage une volonté toute neuve. J'engrange du repos, je tiens, je me fortifie. Quand le travail cadence les journées, on s'accroche aux heures disponibles, on s'éventre, on force le relâchement. Il n'y a pas de vraie pause. On s'allonge bien encombré de cette usine qui, contrairement à la bande, mon père, A. ou moi, jamais ne s'endort. L'usine ne ferme jamais les yeux. Elle sait. Elle sait que nous serions trop nombreux, moi le premier, à profiter de ce moment d'absence pour la renverser dans le fleuve. La plonger dans la mort quitte à couler avec elle. Quitte à éviter le sujet avec A.

Jour 8

Le réveil sonne à 7 h 45. Entre moi et mon père les jours commencent avant de commencer. Il ferme la porte de la salle de bains. Tandis qu'il se lave, je remplis une casserole d'eau froide. J'allume la plaque. Il se rase. Sur la pointe des pieds, j'empoigne le paquet de café soluble du placard. Je sors deux tasses. Je les pose face à face sur la table. Je n'oublie pas le pain, je n'oublie pas le beurre, je n'oublie pas tout ce qui s'étale sur des tartines. La douche est finie. Après son reflet dans la glace, je suis la deuxième personne qu'il voit. L'eau ne rince pas. En dessous de sa cicatrice, une marque de savon. Une grande serviette autour de la taille, une petite autour du cou, il dit Bonjour, merci – sous-entendu pour le café. Il me demande si j'ai besoin de quelque chose en particulier. Il insiste. À part le journal je n'ai besoin de rien. Je parle doucement, ménage la précarité de la douceur car le vacarme est sur le point de reprendre, de l'autre côté du pont, où les murs ont les tympans crevés. Nous ne nous disons rien. Je lui ressers du café. Chaque gorgée est une seconde de gagnée. Plus il boira, plus il pissera longtemps. J'ouvre une brique neuve de jus d'orange. Une bouteille de lait tombe dans le vide-ordures. Je me lance : Dis-moi, pourquoi t'as mal dormi ? Pourquoi tu t'es levé plusieurs fois ? C'est d'avoir regardé les photos ? D'ailleurs pourquoi tu l'as sorti cet album ? Ce week-end, nous travaillerons les conjugaisons. Le prochain test est prévu pour la semaine prochaine, mais quoi de compliqué, pour lui qui maîtrise tous les temps ? Il me dit qu'à l'oral, ce n'est pas pareil. Je lui conseille d'écouter les sons qui lui viennent naturellement et de les retranscrire en suivant la règle des accords. Il se tait. Il me ment. Son souci dépasse son cours du soir. Il embraye à propos de son jour de congé. Pourquoi tu changes de sujet ? Nous passerons la journée ensemble. Il me demande si, après ses révisions, j'accepte de l'accompagner en balade. Je ne réponds pas. Me venger de son mensonge m'arrange bien. Ne s'est-il pas aperçu que je ne sortais plus ou sous-estime-t-il l'inviolabilité de mon engagement ? J'hésite à tout lâcher. La brique de jus d'orange, ma résolution et l'envie de pleurer. Je lui dis qu'on avisera dimanche. Comment lui refuser une balade au parc ?

De l'autre côté du fleuve, il y a un château transformé en musée de céramiques. Derrière lui, une forêt en pente dans laquelle nous faisions la course quand j'étais petit. Essoufflés, nous atteignions la terrasse depuis laquelle le panorama me livrait à l'impuissance de l'enfance.

On est si petit, sans moyen de brouiller les ondes radio, les interférences téléphoniques ou de jouer aux voitures, aux vraies, en les crashant sur leur usine. On est petit, rien d'autre, incapable de rencontrer tous les gens d'un si grand village, de connaître les détails de chaque vie que je supposais innocemment singulière ou d'obtenir les précisions, infimes, sur leurs gestes du matin, du midi et du soir. Comment retenir la totalité d'un jour dans cette vie-là ? De l'action la plus banale à ce qui les a poussés à conquérir leur premier homme, leur première femme ?

Mon père me serrait la main très fort, en haut de cette terrasse, parce qu'il craignait malgré la rambarde que je ne saute dans le vide. En contrebas, à droite, nous surplombions l'île et l'usine. Jusqu'à ce que mon attention géologique se développe, une île valait une usine, et inversement. Je limitais ma connaissance des sols à leurs édifices. Les villes étaient des villes, pas des plaines. Les îles étaient usines. Rien d'autre. Au sommet du parc, j'ouvrais grands mes yeux de gosse mais je ne m'émerveillais de rien. La rétine béate j'occultais néanmoins la véritable nature de l'île, c'est-à-dire une île naturelle, comme d'autres, où les animaux avaient occupé un peu d'espace avant que l'on n'y parque des ouvriers. Depuis, ça n'a pas changé. Sans chemin pour en faire le tour, ses murs plongent dans l'eau. Seule leur couleur pluie a vieilli. En revanche, alentour, plus loin, j'ai suivi la construction des gratte-ciel. Ces bâtiments toujours plus hauts, jusqu'à dévier la trajectoire des avions. Partout ont surgi des piscines, des crèches et des patinoires. Des clubs de bridge, de couture et de philatélie pour les vieux. Et dans ce bois en haut duquel je me penchais sur la ville, je découvrais mon bonheur des allées vides. Prémices de l'éloignement des places et des écoles publiques, je retrouvais déjà, dans ces balades au parc, un peu de mon avenir. Maintenant que ma rupture avec l'environnement extérieur est effective, ne plus prévoir de promenades soulage mon dégoût de la foule. Je débarrasse la table pendant que mon père s'habille. Il ouvre ses placards, enfile son pantalon gris. J'appelle l'ascenseur. Il m'embrasse sur le pas de la porte. Bonne journée répond à Bonne journée. La porte de l'ascenseur se ferme. Il évite son regard dans la glace. Il n'y a pas de raison que son visage le surprenne. Seule une photo lui permettrait de se comparer à hier. Sorti de la cage d'escalier, je lui répète Bonne journée à l'interphone. Il n'oubliera pas d'acheter mon journal en rentrant. Puis il refait le chemin d'hier, d'avant-hier et d'avant-avant-hier. Il me l'a déjà dit : En fait, quand tu y vas et que tu ne penses pas que tu te rends à l'usine, tu prends le trajet comme une balade, comme si tu trottais n'importe où. Attendre au feu rouge. Et traverser, continuer le quai côté fleuve sous les platanes souffreteux. Marcher à contre-courant. Plus groupés que les filles de la nuit, les centaines d'ouvriers convergent. Un afflux comparable aux entrées de matchs de rugby, de concert. Un marathon. Un de ces événements d'ampleur où deux personnes étrangères l'une à l'autre accroissent leur probabilité de partager un souvenir et, finalement, de se connaître un peu. Sur le pont, leur procession ne relève pas de l'effort. L'accélération de la masse est un réflexe de sprinters. Dans les vestiaires, ni beaux ni laids, ils se préparent au geste qui fera d'eux, toute une vie, des ouvriers spécialisés. Ils sont à leur poste.

Je quitte la fenêtre, me déshabille et pisse la porte ouverte. J'évacue l'eau de cette nuit. Je bois pour le plaisir de nettoyer mon corps, de pisser transparent. Comme mon père, je bois beaucoup pour pisser longtemps, puissamment. Dès que j'ai fini, que je n'ai plus rien à vider, je me remplis à nouveau. Une bouteille d'eau. Je me vide et me remplis, me gonfle et me dégonfle. Je suis disponible. L'eau descend dans la gorge, dans l'estomac, imprègne les parois, purifie et remplit goutte à goutte la vessie. Je m'allonge sur le canapé du salon, fume une cigarette, et traversé par les liquides, je reporte la vaisselle du petit déjeuner à l'après-midi. Termine le café froid. Je m'endors là, finis ma nuit quand l'assemblage des voitures est lancé. Je n'ai pas d'angoisse. La vessie pleine me réveille. Je pisse. On dit que le plus facile pour tuer un homme est de le planter quand il jouit. Si quelqu'un voulait m'abattre, autant qu'il me surprenne debout devant la cuvette. Les lieux et les spectateurs potentiels participent trop à l'orgasme pour ne pas jouir, à cet instant, des meurtriers cachés derrière soi. En revanche, j'y reviens une dernière fois, la méditation qu'implique l'urine nous change en proies. C'est d'après cette réflexion-là que A. voulait assister à la cérémonie. Elle m'avait dit Je veux voir ce que ça fait, quand tu pisses, là. Si je n'étais pas capable, à l'époque, de lui rendre l'hommage, je restai stupéfié par son indécence. Elle était capable de m'aimer jusque-là. Mes parents s'étaient-ils promis un jour de le faire ? La journée file. Je ne pense pas. Ne plus me raser réduit mon temps de préparation aux visites de A. Ça sonne. Je ne réponds pas. Avant, composer un code suffisait pour accéder aux ascenseurs mais tout le monde connaissait le code. En installant l'interphone, l'office gestionnaire de nos appartements voulait, prétendait-il, sécuriser – sécuriser quoi ? Des étiquettes nominatives furent ainsi posées en face du bouton métallique correspondant au nom de chacun. La liste est longue et nous tenons là, je crois, un genre inédit de monument aux morts. Sincèrement, mourra-t-on ailleurs ? Le dispositif installé, nous vérifiâmes : il n'y avait aucune erreur dans les noms affichés. L'administration veillait correctement aux départs ainsi qu'aux arrivées. Et nos noms, les uns en dessous des autres, fournissent encore aujourd'hui la preuve de notre empilement. Parmi les anecdotes, trois patronymes identiques suggèrent qu'habite ici une famille si grande qu'un seul appartement ne lui suffit pas – ce qui effraye les non-résidents. Avec la bande, nous réfléchissions souvent aux moyens de s'exclure de cette énumération de cadavres. Parmi les possibilités le plus couramment retenues – mourir pour de bon, oublier qui l'on est ou changer de nom –, changer de nom obtenait la majorité des suffrages – dont le mien évidemment.

J'ouvre. C'est A. Son avance dépasse la paire d'heures. Avec elle, c'est mon drame, tout vient trop vite. Et je déteste les gens en avance ; je supporte à peine les gens ponctuels ; en revanche, esthétiquement, parmi les retardataires, j'apprécie les malpolis qui s'excusent confusément de leur retard parce que ce n'est pas leur nature, que ça ne leur arrive jamais, et que dans la sueur de leur course, sur les derniers mètres, ils ont oublié l'excuse qu'ils s'étaient inventée. Munie de ses courses, comme à l'habitude, elle libère ses mains dans la cuisine. Je lui dis Ce n'est pas de la gentillesse, à ce point-là : ça dépasse la bonté. Peut-être. Libérée de ses obligations familiales elle restera jusqu'à ce soir pour vérifier, promet-elle, que l'enfermement ne m'a pas cimenté le cœur. Je pense Très bon prétexte. Je m'allonge, elle m'enjambe. Les genoux sur mon lit, elle caresse ma barbe, elle se demande de combien elle pousse par jour, des questions bizarres qui me réjouissent. Je sais pas. Un, deux millimètres. Et c'est quoi la mesure, en dessous du millimètre ? Je sais pas. Le micromètre ? Et au-dessus du kilomètre ? Je crois qu'on ne compte plus. Ah si. C'est l'année-lumière, non ? Je me retiens de jouir. C'est difficile. Déduisant de mon enfermement un décuplement de mes capacités, elle m'assure que je peux y aller. On le refera avant que mon père rentre. Je lui dis Ce sera un garçon. Elle me dit Ah bon, t'as oublié de prendre ta pilule ? Je l'embrasse mal, en riant. On se rhabille. Plus tard, elle me déboutonne à nouveau. On refait l'amour. En plus sale, plus mouillé. Dans la tranquillité de la répétition. Je reste nu. Elle veut regarder, quand je ne bande pas. Je lui allume une cigarette qu'elle fume allongée. Je reste debout, près d'elle, la tête contre la fenêtre. Je grimace quand elle me brûle une fesse. Je l'engueule comme si ça me déplaisait pour de vrai. Puis je l'aime encore – je ne le dis pas. Elle me trouve plus musclé, moins tendu, plus lourd, moins de graisse. Elle me demande quelle partie de son corps je préfère. Je n'en préfère aucune. Elle ne dit pas Mes seins ou mes fesses ? Elle le pense, à sa pose on dirait qu'elle le pense, mais elle ne le formule pas. De toute façon je ne préfère ni l'un, ni l'autre, ni elle tout entière, je ne la préfère à personne – c'est elle, c'est comme ça. Elle se lève. Je la suis. L'épaule contre l'encadrement de la porte de la cuisine, je la regarde déballer ses sacs. Elle grommelle, cherche en vain des ciseaux pour découper l'emballage cartonné de ses bouteilles de Coca sans sucre. Pas de ciseaux dans les tiroirs, Ah je te jure, dès qu'il n'y a pas de femme dans un appartement.

Elle en fait trop, elle s'amuse, marque sa présence, nous envahit de courses, de fonds de plats qu'elle prépare à l'avance pour ses sœurs, chez elle, pour que l'on goûte et parce qu'il faut bien qu'on mange. Non, elle ne peut pas nous laisser faire comme on fait d'habitude. Le frigo se remplit de yaourts aux fruits pour les vitamines, de céréales extrafines pour le petit déjeuner, pour les fibres, de quelques tomates pour ne pas oublier ce qu'est le goût de la terre, dit-elle, et de boissons non caloriques pour que nous suivions notre ligne. Apparemment, on ne peut pas vivre comme ça, sans ciseaux et sans fil à rôti. Elle allume des plaques, sort des casseroles, découvre des fonctions à mon four qu'elle trouve génial. Un bon point, enfin. Elle rince des ustensiles incroyables. Sous la poussière de la râpe à fromage ou du couteau à double lame, on pourrait retrouver des empreintes de morts. A. déplore la mauvaise qualité de mon produit à vaisselle tandis que j'éprouve une satisfaction à ce qu'elle éponge les dernières traces de ma mère. On pourrait croire qu'elle la remplace – ce qui expliquerait l'affection de mon père, mon désir pour elle, et légitimerait sa présence dans la cuisine. Mais ce n'est pas le cas. Elle transfigure mes besoins sans les satisfaire. Je n'ai pas faim quoique je veuille la manger. Je n'ai pas sommeil quoique je veuille dormir dans ses bras. À peine le temps de lui expliquer la totalité de mon désir que l'après-midi se termine.

Mon père rentre inerte. Ça va, ça va. Les machines le paralysent mais à part ça, ça va. On dîne. Contre ses douleurs, sa lassitude et ses deuils, A. lui sourit tant qu'elle peut. Je débarrasse la table. Il se retire. C'était bon, c'est bien, qu'est-ce qu'on a ri, demain c'est difficile mais c'était une bonne idée ce dîner, vraiment. Merci. Le pied perdu, mon père avance sans lever la jambe. Englué. A. l'embrasse. Un quart d'heure de plus il tomberait. Je lui demande comment il se sent, sa langueur m'inquiète ; il n'est pas tard, il n'a pas bu. Le sommier crisse. Le corps jeté sur le matelas, ça va. Quand on ne sent plus rien, c'est ce qu'il dit, ça ne peut qu'aller. On éteint la lumière. On ne fait pas la vaisselle. On ne fait pas de bruit. J'excuse mon père. Y a pas de quoi, s'attendrit A. J'invoque la vérité, les secrets qu'il garde, qui l'épuisent. Sa fatigue est celle du mouvement, du seul qu'il connaît. Pas celle du rien foutre, ni des sorties, à traîner, ni du sport, des visites, des lendemains de fête, se sentir comme au fond d'un verre vide et poisseux, la fatigue d'un corps qui a dîné, qui a vomi, ce n'est pas non plus la fatigue des souvenirs, des photos rangées dans leur album, du service militaire, des efforts que l'on fait pour reconstituer une aventure. Il ne dort pas comme on dort après la guerre, la bataille, mon père n'est pas fatigué d'être stratège ou soldat, la boue jusqu'au cou, il n'est pas las d'être sale, de se laver compulsivement comme un Russe dans un bain russe ou de se frotter, de se curer une bonne fois. Il n'a ni courrier à rédiger ni chèques à signer, à pointer. On ne le lui demande pas. Il aimerait bien pourtant. Ça le changerait de fatigue. Le travail terminé, ce serait un vrai repos. L'usine ne fatigue pas comme des vacances, un exil ou des voyages en avion. Elle n'esseule pas comme les traumatismes de l'enfance, ne secoue pas le corps comme les transports en commun. Son geste de l'atelier se répète dans une fatigue sans contenance sans volonté sans puissance. Pour me la représenter, je m'en souviens maintenant, il voulait que je m'imagine une de mes deux joues que je devrais raser en appuyant fort, toute la journée, toujours la même, dans le même sens, si inutile que cela paraisse. Un geste à portée d'homme, a priori facile. Mais rapidement, les joues s'irritent et saignent. La lame trempe dans la chair. La peau s'écorche mais on ne sent plus rien, la main s'est automatisée, le geste continue. On ne peut plus cicatriser, ce n'est pas la peine. Les nuits ne suffisent plus, il lui faudrait dormir toute une mort.

Quand nous nous installons, A. et moi, devant la télévision en sourdine, je ne suis plus qu'un tas d'impuissance. Mon père rendrait sa blouse, ça ne suffirait pas. Les machines cassent, ne guérissent pas. On les répare un temps puis on s'en débarrasse. On en fait des cimetières. On les compresse. La tête centrifugée, A. n'a pas le courage de rentrer chez elle. Je la décourage d'un dernier réflexe – partir parce que c'est mieux et soi-disant plus commode pour demain. Elle opine devant le générique du journal de la nuit et s'endort contre moi.

Je parcours le quotidien que mon père m'a rapporté. Sur la sixième page une brève m'arrache les yeux. Je la relis une fois, dix fois. Je n'y crois pas. Je retire le bras de A., appuyé sur ma gorge. Soulevant son poignet d'un doigt, je ne la brusque pas. Je me lève. Je débarrasse la table. Je remplis d'eau le fait-tout, que le fond de sauce n'accroche pas. Les assiettes trempent. Je fais du bruit. Ils ne se réveilleront pas à cette heure-ci. Je pourrais attendre demain, la lumière du soleil, être seul et m'activer à la vaisselle, aider mon père quand il n'est pas là. Je pourrais dormir mais leur sommeil me dérange. J'astique les plaques. Au moins c'est une activité neutre. Sans valeur affective. Sans passé, sans avenir. Je nettoie les traces noires et les ronds d'huile. Je m'affaire à l'évier. Je me gomme dans la Javel. Je fume une cigarette inutile. Je surveille la maison comme un chien dans la neige. Je reprends l'éponge. Elle est verte d'un côté, jaune de l'autre. Je me focalise sur la mousse. J'essore, je presse le parallélépipède étroit, mou, humide. Je rince l'inox une dernière fois et place l'éponge sur la paillasse. Par l'eau qu'elle absorbe, par sa forme, elle ressemble à l'immeuble toujours moite. On y monte des packs d'eau, on y inspire, expire de l'air à cent pour cent humide, les gens s'y lavent, crachent et tirent des chasses d'eau. La comparaison s'arrête quand les murs fuient sans qu'on ne les essore. Je quitte la cuisine, éteins le poste. La mécanique des tâches est achevée. Dans ma chambre, il ne me reste qu'une dernière bassine d'eau à vider. Un interminable dégât des eaux. Je porte le corps de A., je l'installe sous la couette, dans mon lit. Je traverse l'appartement sous les pas de mon voisin. Lui non plus ne dort pas. Si je m'octroyais la permission de sortir, j'irais toquer à sa porte. Je le forcerais à ouvrir. Je le torturerais pour qu'il avoue l'attention démesurée qu'il porte à la température de l'eau de son chien, au niveau de remplissage de son bol, à son obsession de poser la coupelle de flotte tout près de la gamelle, les précautions qu'il prend à ne pas inonder le linoléum de sa cuisine. Je lui pointerais un couteau sur le bide jusqu'à ce qu'il pleure, et face à ses larmes, je lui demanderais ce qu'il pense de mon journal, celui d'aujourd'hui, de cette brève en page six. Qu'éprouve-t-il, lui qui ne travaille pas, à emmerder ses voisins avec ses fuites quand des rumeurs circulent sur le sort de l'usine, en suspens, et que les dirigeants pensent plan social, délocalisation, arrêt définitif de la production. Est-ce qu'il n'a pas l'impression de s'égoutter l'urètre dans un vase déjà rempli ? Rêver de sang me calme. Je m'assoupis. Les réveils comme points sur l'infini.

Jour 9

Je me lève ; mon père se douche. La table, deux assiettes, la cafetière. Je plie le journal qui traîne sur le canapé du salon. Tout est prêt. Il arrive, il m'embrasse. Il se dépêche, un peu en retard. Il me parle d'hier soir. A. le ravit. Je lui dis qu'elle est restée dormir. Je l'ai portée jusqu'à ma chambre. Pas le courage de rentrer. Il sourit encore. Le reste n'est qu'abattement. Je facilite ses réflexes, lui tends du pain. Il n'évoque pas son test de français. Il ne dit rien de notre balade au parc. Il trouve une nouvelle diversion, il préfère que ce soit moi qui parle. Je me plains du voisin et de sa fuite. Il me conseille d'agir plutôt que de me plaindre. Selon lui, je me plains tout le temps. Tu t'en rends quand même compte, de la chance qu'on a ? Je dis Oui, évidemment. Ce n'est pas le moment d'ironiser. Je cède. Je ne vais pas lui faire valoir la chance qu'on a de manger des frites, des pâtes ou du riz avec du beurre ou de la sauce tomate. La chance d'étaler du miel, de la confiture à la rhubarbe et tout ce qu'on veut, d'avoir une télévision couleur, des lits chauds et des couettes molles, un chez-soi à la moquette vieille mais pas sale, une salle de bains, des chiottes séparées et l'eau courante. Je ne l'empoignerai pas à répéter mot à mot ses phrases sur le tiers-monde, comme quoi nous faisons partie du pourcentage de privilégiés, sur l'école obligatoire ou la sécurité sociale. Ça ne vaut pas la peine. J'acquiesce pour éviter le débat sans fin. Comparer ne m'intéresse pas. C'est hors de propos. Son raisonnement m'accable autant qu'il lui évite de critiquer sa vie. Et plus tard, sur le pont, à l'entrée de l'usine, ils sont nombreux à se complaire de cette fameuse chance qu'ils ont d'aller s'abrutir chaque matin. Je lui demande de m'acheter le journal, comme hier.

Je réveille A. Je lui caresse le dos. Elle s'affole, ses petites sœurs l'attendent. Il faut préparer leurs cartables à roulettes, leurs sacs de sport, et ne pas oublier les bonnets de piscine. Les bons cahiers pour les bons jours. Elle me dresse une liste harassante de points réglementaires décisifs auxquels veiller, de la pomme du goûter au carnet de correspondance. L'école m'a détruit, je ne peux pas l'oublier, mais je n'imaginais pas qu'en kidnappant mon amour, elle me pourchasserait des années après. Elle m'embrasse dans l'entrée. Non, pas le temps de prendre un café. Elle s'en va, elle m'appelle, elle dit merci. Trop de portes claquent trop vite. L'au-dehors précipite les gens. Ils s'y bousculent, s'y entassent, s'y dépensent en corps et en paroles. Ils travaillent à leur expérience de la vie sociale forcément insatisfaite. Les uns apprennent à vivre avec les autres. C'est la norme. Les solitaires sont des fous. Les associables sont des sauvages. Il faut créer du lien. Se lier. Renoncer, c'est perdre pied. A. est partie les rejoindre. Elle me désarme. Elle accepte l'infinie quête de l'autre sans autre but que de quêter, rester en course, garder son capital d'acceptabilité, de sociabilité qui fait de soi quelqu'un de bien parce qu'il connaît plein de gens différents, parce qu'il est tolérant et très sympathique, les grands sourires et bien aimable.

La bande, elle, n'appelle plus. Chacun sa vie, j'obtempère. Chacun sa vie de boulangère. Les mamans déblatèrent sur leurs bancs de béton, les travailleurs de l'usine au comptoir du bar-tabac. Ils commèrent comme ils pissent. Les hommes debout, les femmes assises. Ils pissent sans plaisir. Ils ne se regardent pas l'urètre, eux. On ne les accusera pas de narcissisme. Ils ont trop honte. Les gens défigurés n'ont pas d'yeux. Ils parlent, ce ne sont que des bouches. Ce n'est pas leur faute, mais les gens irregardables ne se regardent pas. Je m'endors. Leurs voix me fracassent l'oreille. À les écouter, personne ne demande grand-chose. Être tranquille, respirer, vivre comme on peut mais se tenir bien au calme, pas trop de bruit la nuit si possible, pour dormir profondément, se reposer, chacun chez soi. On se méfie des trublions, des gens pas comme nous. C'est pas qu'on est racistes, on est mal placés pour, mais des voisins corrects c'est important. De bonnes relations avec son entourage, ça ne fait de mal à personne. C'est pratique, on se rend des services. On s'offre des miches de pain le dimanche soir quand la boulangerie est fermée. On se passe du sel et du poivre. C'est bien, les voisins. Ça sait toujours quelque chose qu'on ne sait pas. C'est plus ragots que nous mais c'est le cœur sur la main. Mais les gens en général, c'est différent. Notre vie de quartier, c'est l'exception. Et encore, et encore, ça tend à ne plus l'être. L'ambiance se détériore. Les nouveaux, par exemple, ils disent même pas bonjour. Ils n'en ont rien à faire. Ils font comme les jeunes, ils jettent les papiers n'importe où. On l'a bien dit, à la réunion de quartier, que le quartier changeait. Qu'il fallait agir. Mais la mairie, c'est toujours pareil, ils disent qu'ils comprennent bien, qu'ils vont agir, qu'ils ne sont pas langue de bois, et n'empêche, le bar-tabac a quand même brûlé. Les mois passent et personne n'a compris ce qui s'était passé. On est les seuls à gueuler. Tout le monde a l'air de s'en foutre alors qu'est-ce qu'on fait ? Je le dis depuis des années, arrivera le jour où je vais crever dans un incendie et là ils verront bien ce qu'en diront les journaux. Il faut mourir sur un passage clouté pour qu'ils mettent un feu rouge. Il faut qu'il y ait du sang pour qu'ils réagissent. J'aurais un revolver, je vous le dis, ils seraient bien embêtés. Je vais saigner, ils vont voir. On est plus forts qu'eux. C'est quand même nous qui habitons là. Ils pourront pas nous déloger de là d'un coup.

Je me réveille. Déjà midi. Leurs expressions toutes faites me reviennent sans cesse. Ils, toujours Ils. Comme eux, j'ai intégré la peur du plus grand que moi. Leur Ils. Mais aujourd'hui, réduit à faire mon ménage, mes siestes et mon sport, maintenant que je n'ai que des remords pour insulter le pouvoir, ce sont eux, ces voisins de l'étrange, ces familles d'ouvriers qui se retournent contre moi. J'ai fui la police, je ne traverse plus les rues, je ne risque plus que l'on m'écrase, je n'ai plus peur des voitures, je ne marche plus parmi les papiers sales, ceux que je jetais par terre, je ne prends plus de café au bar-tabac, je n'ai pas peur qu'il brûle, les réponses politiques m'indiffèrent, je n'en subis plus les conséquences. Plus rien ne me concerne sinon eux. Ceux qui vivent dans les mêmes appartements, tout autour de moi. Cette périphérie-là. Ce sont eux, mon Ils. Ceux-là sur qui je crache, à les rencontrer dans mes rêves parce que leur parole me renvoie à mes pires jours. Ils m'envenimaient, m'assuraient la réelle existence de leur Ils à eux, leurs ombres. Ils me transmettaient leur sentiment d'impuissance, le temps passait, leur éthique de l'asservissement. Leur méfiance. Leur ostracisme.

L'après-midi passe ainsi : ligoté alors que je devrais agir. Je me bouscule. Sport, douche et lecture.

En fait, j'aurais dû tout esquiver quand un foutu deuil ne me liait pas à mon père. Mieux, je l'aurais embarqué avec A. Nous aurions vécu ailleurs, en face d'un fleuve qui se jette dans la mer. On aurait acheté une voiture d'une autre usine. Avec des si, je ne me demanderais pas ce qu'ils racontent à mon père dans la fumée du bar-tabac.

Je l'attends. Je commence un livre. Je tourne les pages. Hâte qu'il rentre et me tende le journal. La suite de l'histoire. Alors j'attends. Continuer. J'attends. Quel est le moins inutile ? Sur quoi vaut-il la peine d'agir ? Tout me dégoûte et je ne vois rien que mon propre plaisir. De mon passé je ne supporte pas l'enfance et du futur j'attends de prolonger ma joie d'être seul. Autour de moi les gens rient comme j'ai ri. Les petites filles, sorties de l'école, jouent à l'élastique sur le terrain de sport. Elles crient leur certain bonheur à chaque saut. Elles renvoient la balle égarée aux garçons qui jouent au football. C'est la fin de la journée. Les cartables alignés, garés, ils n'ont pas pris le temps de remonter chez eux déposer leurs affaires. Ils étaient pressés d'en finir. Ils ne s'invitent pas à goûter parce que leur lait et leurs gâteaux ont traîné trop longtemps sur la table. Personne n'en veut. Ils sont infects. Périmés. S'ils le pouvaient, les enfants les jetteraient à la poubelle. Qu'on en finisse. S'ils le pouvaient, ils se jetteraient eux-mêmes à la poubelle, ils se jetteraient de leur étage mais à leur âge, posséder ses envies est interdit. Ils doivent se serrer, en rang, jusqu'à s'y intégrer parfaitement. Ils rient en contrepartie de leur vie et c'est inadmissible. On ne peut pas s'émerveiller d'eux. L'enfance ne doit pas me consoler du présent, m'empêcher de le sentir. Je ne la magnifierai pas. Les beaux livres de photos noir et blanc nous ménagent. La représentation d'une enfance collective, normativement heureuse, est le soubassement d'une régression bien confortable. Il faut témoigner du pire, de son viol et de ses bleus pour faire entendre un autre discours. Et encore, faute d'images, à moins de le porter sur le visage, d'avoir les traits d'un suicidé, on ne vous croit pas toujours. Le reste, l'entre-deux fait d'impuissance, de culpabilité, de honte, ce ne sont que de petites choses, forcément, puisqu'il est d'usage de ne pas ébrécher le mythe tant qu'on n'a pas vécu l'irréparable.

Par exemple, pour n'invoquer qu'un détail, avant l'adolescence, je ne croyais pas que la Terre était ronde. Pour moi, c'était un losange. Le ciel était bleu, j'en convenais. Pour n'en avoir jamais vu j'admettais l'existence des étoiles filantes, d'accord, mais la Terre ronde, la boule, non. Je ne sais pas comment j'avais fait l'association entre le logotype de l'usine et la forme de la planète et j'ignore quelles coïncidences m'ont évité d'ignorer si longtemps l'évidence. Mais la science contredisait ma conviction. Mon erreur ne m'avait pas tué. Après les Pères Noël et les cigognes et les histoires de chou, ce n'est qu'un mensonge de plus, je me disais.

Toutefois j'en tirais une honte, une honte de rien du tout, minime, une honte que l'on oublie mais que je n'efface pas. Car ces détails inaperçus, ces haines étouffées, accumulées, des années, des fausses pistes et des naïvetés pareilles forment des enflures. On ne les a pas vues se constituer mais elles étirent étrangement le côlon quand on commence à en chier. On ne guérit pas d'une enfance écaillée.

La dernière chose à faire, si je me projette, c'est la vengeance. Je vais parler comme les petites dames d'en bas, toutes disloquées et mal fichues : fini de tout accepter. Mais plus fort qu'elles, je respecte mon pacte. Vivre enfermé, voilà. Je me venge à ne vivre que pour moi. Je tourne les pages. Le livre. Trois chapitres. Sitôt lus, sitôt oubliés. Je ne suis pas concentré.

Quand il ne travaille pas le lendemain, mon père accompagne ses collègues d'atelier au bar-tabac. Ils s'échangent quelques anecdotes par-dessus le bruit de la machine à café qu'on nettoie. Aucun vacarme ne les perturbe. Quand on a connu l'usine, on a connu le tapage absolu. On s'est tiré un boulet dans l'oreille. L'expérience éduque instinctivement à lire sur les lèvres. La plupart, aussi lents que leurs tympans, ne s'en soupçonnent même pas capables. Avant que les propriétaires n'entreprennent des travaux suite à l'incendie, ils buvaient un coup sous un store bleu passé. Aujourd'hui, le nouveau store ressemble à ses clients. Un peu rouge, gondolé. Par chance, mon père ne tient pas l'alcool. Il se fait traiter de pédé parce qu'il ne boit pas mais à part ça il se fait respecter. Il a l'ancienneté et la réserve nécessaires pour faire partie des meneurs. Il a poussé quelques-uns de ses compagnons à suivre le cours du soir. Ce sont ceux-là avec lesquels il est le plus lié. Ils appellent, je connais leurs enfants. Ils viennent dîner. Quand ma mère est morte; ils lui ont transmis une enveloppe pleine d'argent, avec un mot écrit dans un français parfait, comme quoi ce n'était rien, que ça ne suffirait jamais mais qu'ils étaient de tout cœur de losange avec nous. Nous ; ils ne m'avaient pas oublié. Dans la rue, à l'occasion, je les remerciais au fur et à mesure, avec cette envie de pleurer qui revenait à chaque fois que j'en croisais un. Souvent, je rentrais chez moi aussitôt. Je me rappelais les soirs où personne n'appelait, personne ne répondait, qu'en bas il ne se passait rien, que je voulais toucher une voix pour toucher quelque chose, n'importe quoi, et je repensais à ce mot. J'en tirais la certitude qu'une fois, on m'avait écrit pour de vrai. Quelqu'un, donc, avait pensé à moi. C'était autre chose qu'une carte postale aimantée sur le frigo. Pourquoi les soirs de vide je ne recevais rien ? Pourquoi ma mère ne pouvait pas mourir deux fois ? Toutes ces questions plus moches que la devanture d'un bistrot où j'aurais pu me déchirer la tête et le foie. Mais bon, il est des territoires, des bars-tabac que je laisse à mon père et ne pénètre pas. L'interphone sonne. Je pose mon livre. Ça ne peut être que lui. Mais ce n'est pas lui. C'est une erreur. Je me retourne, l'interphone sonne à nouveau. Je ne m'énerve pas. Je sais la commodité avec laquelle le quidam se pardonne la répétition de ses erreurs. Mais cette fois c'est bien lui.

L'odeur de fumée, ses non-dits, la sueur sèche, les traces noires, sa fatigue, tout ce qu'on veut, tout est à lui. Je le débarrasse. Il me tend le journal. Je dis Merci. Je le mets de côté comme si je ne voulais pas le lire expressément. Voilà, la semaine est terminée. Le processus de repos est enclenché. Profiter de ce temps alloué au relâchement mais également à la gestion de la vie courante, les factures qui lui reviennent, les échéances, les courses, le téléphone, les gens à appeler. Cette période inclut le sommeil élémentaire, les repas vitaux, les besoins naturels à quoi s'ajoutent les révisions pour son examen, puis une balade, avec moi si possible. Tout se concentre dans le temps, mobilise la pensée. Les petites obligations échappent à l'usine, elles accaparent une attention différente, canalisent une autre fatigue. La douche de ces soirs libres est plus longue, l'eau plus chaude. Dans la salle de bains, mon père se rase à nouveau, une dernière fois avant le prochain matin de reprise. Il voudrait croire qu'on se rénove comme un bar-tabac incendié alors que lui-même voit son nouveau store se rider plus vite que son âge, comme si les fumées d'usine érodaient les corps et tout le quartier. Des fumées bien plus dangereuses que ne serait une crue du fleuve. Ce débordement que l'on craint tant depuis qu'on l'annonce chaque année.

L'eau coule. La salle de bains est fermée. J'ouvre le journal. La rumeur se confirme-t-elle ? Les tractations syndicales ont-elles commencé ?

Y a-t-il eu quelqu'un pour démentir, confirmer ? Je parcours les titres, les reportages, je cherche la ligne cinglante, le titre qui enterre l'usine, qu'on en finisse, la brève précise qui tue la mort, irrévocable, sans verbe au conditionnel. Les pages politiques portent sur les négociations commerciales agricoles. On en est encore là, je m'apitoie. Faut-il attendre un siècle avant que l'on s'intéresse à la culture ? Je fouille les pages internationales, là où c'est inutile de chercher, je ne veux rien manquer, les pages économie, emploi, les petites annonces, quelques lignes ressemblant à une demande de reclassement dans l'automobile après une délocalisation. Rien. Les tribunes vierges d'information. Ses travailleurs n'intéressent personne, je le sais bien, mais à ce point, pour ce qui se prépare, ce n'est pas moral. Pourtant, avant ma naissance, quelques têtes soutenaient les ouvriers. Ils s'exprimaient publiquement, c'est arrivé, ils parlaient de nous, ils nous allouaient une part de pouvoir tandis que nous leur offrions une cause à défendre, un beau décor de cinéma réaliste. Les pages de débats ne font pas référence au choc que nous allons vivre. Pour finir, la météo prévoit un temps variable pour demain. Variable, histoire de penser ce qu'on pense et de porter les vêtements qu'on a. Ses chaussettes blanches en coton achetées par trois. Du moment qu'il ne pleut pas, franchement, peut-on affirmer autre chose qu'ici rien ne meurt et tout va bien ? Je délire. Je reprends le journal d'hier. Oui, ils parlaient seulement de rumeurs. Je dois les prendre pour ce qu'elles sont. Rien ne les prouve. Entendre un bruit ne signifie pas qu'il ait eu lieu. Je rêve de mon immeuble, je n'objective rien, je m'échafaude un drame. Tout me fait mal alors que personne ne m'attaque. C'est nébuleux. Les voisins ont raison. Les solitaires sont dangereux. La fermeture de l'usine n'est que rumeur, il me faut l'admettre. Et encore, parle-t-on de fermeture ? Quelle est la différence entre fermeture et restructuration ? Quand on invoque l'un des deux termes, indifféremment, pense-t-on à l'usine ou aux bureaux de l'entreprise ? Dans quelle mesure les deux ne survivraient-ils pas à distance ? Que cela signifie-t-il pour les salariés ? L'ancienneté avait du sens, pourquoi le perdrait-elle ? Pourquoi mon père serait-il licencié ? Pourquoi n'y survivrions-nous pas ? Qu'est-ce que le chômage quand l'État le finance, qu'il devient somme toute une normalité ? Pourquoi mon père ne supporterait-il pas ce que je vis et dont je me fous ? Pourquoi m'inquiéterais-je pour lui ? Me protège-t-il à ce point alors que je touche chaque mois un peu d'argent, que ça me suffit, qu'on fait moitié-moitié pour tout ? Qu'il garde le reste pour payer le journal et des vacances ? Ne puis-je me passer à ce point de vacances alors que j'ai décidé de ne plus sortir ? Je mime la victime. Je pose. Je m'occupe de ce qui ne me regarde pas. C'est peut-être de l'amour. Pour sûr de la compassion. Il sort de sa douche la peau fumante.

Il ne parle pas. S'il continue, je me convaincrai qu'il ne cache rien. Pour occuper mes journées, je me serais donc imaginé des nuages de corbeaux inutiles. De mauvais présages.

Quand me dira-t-il que c'en est fini de ces jours de repos qui n'en sont pas ?

Il cherche ses vêtements propres dans les placards du couloir. Mon inquiétude vient de lui, ce type qui m'embrasse et marque mes jours.

J'ai ses cheveux, coupés pas de coupe, et des pantalons semblables aux siens. Pendant longtemps nous les confondions ; pour ne plus les confondre, nous les avons confondus. Depuis qu'il m'a dit Je te prends tes pulls les miens ont des trous, je me suis promis qu'après sa mort je n'en mettrai plus. J'achèterai de vieux gilets. Il s'habille. C'est la fin de la journée. Il prépare à manger, il n'y a plus que ça à faire pour aujourd'hui. Une dernière tâche pour laquelle il éprouve du plaisir. Il sourit. Je culpabilise de lui exiger des aveux d'autant plus que je lui cache, certes plus manifestement, la décision de ne plus sortir. Un père, c'est souvent trop fier des seules lasagnes qu'il sait faire mais je ne lui en veux pas. Il est avec moi. À table, il me parle de A. Il fait des projets pour nous plutôt que de regretter ce qu'il a manqué avec ma mère, sa femme, je ne sais jamais comment dire. Son prénom tu veux pas, tu m'as dit, parce que c'est pas une voisine. Alors nous disons Elle. Elle, ça pourrait être n'importe qui mais entre nous, Elle n'est personne d'autre. Elle n'appartient qu'à nous quoiqu'elle ne soit plus là pour nous rassembler. On s'aime face à face, maladroitement, comme on peut, entre deux fourchettes et deux couteaux. La bouche pleine, remué, je ne suis plus sûr de lui adjurer la vérité. Il débarrasse. La main dans le liquide vaisselle, il me demande ce que j'ai prévu de faire ce soir. Je ne dis rien. Il rince les couverts.

Tu n'es pas sorti de la semaine, tu pourrais au moins voir tes amis, sortir avec A. C'est vrai, quoi, je n'ai fait que te voir à la maison. Mon visage renfrogné le consterne à en lâcher le torchon sur le linoléum. Quoi ? Il se baisse, le ramasse et s'assoit. Bordel t'es quand même dingue, non ? Je te dis de sortir, de dégager, prendre l'air, et toi tu restes là, tu réponds même pas. Effectivement j'hésite, et l'incertitude est longue, déjà suspecte. Je te vois là le matin, je te vois là le soir, la nuit tu dors ici et la journée je sais pas ce que tu glandes, j'en sais rien mais explique-moi quand même, c'est simple, non, à expliquer, si jamais tu sors l'après-midi et que tu me le caches pour je sais pas quelle raison, dis-moi pourquoi tu rentres pas ne serait-ce que cinq minutes après moi. Ça ne s'est jamais vu. Ça va pas ? Un truc te tracasse ? T'as du temps pour toi et t'en profites pas. C'est le comble ! Et ton silence, là, ça veut dire quoi ?

C'est vrai, j'aurais pu lui répondre automatiquement Si, justement, j'allais me préparer, et toi, tu fais quoi ? Mais il a fusillé mes lèvres. Et les premiers mots se sont coincés dans mes gencives. Je n'ai pas de réponse claire. Je n'ai rien prévu. Je n'ai pas préparé mon discours. Je ne mentirai pas, je ne sais pas faire. Je n'en ai pas envie. Une telle occasion d'être franc ne se reproduira pas. Je cherche. J'oublie un instant quel raisonnement m'a convaincu de me retirer de tout. Plus d'un week-end enfermé, c'est le début d'un principe qu'on n'imagine plus justifier. Pourtant si. Il faut. Ses pupilles n'ont jamais visé si précisément mon mensonge. Pendant mes premiers jours d'enfermement, mon père ne souffrait pas de ne rien savoir. Il ne posait pas de questions, n'insistait pas et respectait mon secret comme un père d'espion s'habitue vite à ce que son fils cache. Un secret, c'est mieux que le mensonge devait-il penser. De la même manière, un fils à la maison, c'est mieux qu'un fils en cavale et ainsi de suite. Mais sans vérité, que valait ce réconfort ? À sa place, m'en satisferais-je ? Alors je pose ma fourchette et tant pis, je lâche tout, OK, c'est le déstockage d'impressions, de commentaires et de raisons. Voilà, je donne des raisons. J'en accumule depuis la naissance.

Je te referai pas l'histoire du losange sur lequel je préférerais pisser de pisse que de t'y voir pisser de sang. Je vais pas te redire tout le mépris, hein ? Ce n'est pas à toi que je vais balancer que c'est invivable, la moitié de chance d'avoir un travail à l'usine ? Tu vois la forme d'un cœur ? Tu vois un losange ? Je vais pas non plus te répéter ce qui se dit au bar-tabac, comme quoi ceux qui bossent à l'usine ont un cœur de losange, et je vais pas te prouver non plus que ce type de discours est l'inverse d'une nouvelle rassurante. T'en veux encore ? La bande, en bas, qui passe son temps à se compter les poils des bras, OK, je veux bien. Mais quand pas un d'eux n'a pas une fois envisagé de bosser tellement c'est décourageant, moi compris, tellement tous les parents ont le teint noir après la douche, tellement tout le monde a envie de se jeter de la passerelle qui mène à l'île ou de se faire renverser par une voiture sortie de l'usine, quand t'as entendu que ça, voilà, et que tu connais d'avance les théories de chacun sur le bonheur de ne pas crever de faim, Au moins on ne fait pas la manche, quand tu sens que tout est sur le point de finir, que les gens eux-mêmes sont finis, usés, foutus, quand tout ça – prends pas peur –, eh ben j'dis non, c'est tout. Il n'y a qu'à rester chez soi. Il me reprend. La fin ? Oui, la fin, là, dont on parle dans les journaux. Celle que la rumeur colporte. Celle que je sens venir, depuis le début, la fin que tu me caches. Celle que j'ai voulu prévenir. Eh bien même de cette fin-là, j'en veux pas. Je reprends ma fourchette et enfile une bouchée de lasagnes. Ce soir, on aurait préparé du riz, j'aurais vomi.

Je regarde par terre, déçu de ne pas avoir avancé d'argument objectif. Mon refus n'est que sentiment, et pour conclure mon père déclare, plus serein, Il faut se faire une raison sinon on ne vit pas. C'est la règle : faut bien survivre en dépit des chagrins. Le bonheur ne s'entache pas, et pour le reste, les petites peines ou les albums de photos, on les oublie. Au pire, on leur permet de nous accompagner sur le bas-côté, dans ses placards. Mais oublier, c'est mieux. Brûler les clichés flous. Les photos de famille. De repas de fête, même si j'accepte encore de manger à ma faim. Mais pour sortir, c'est différent. Rien ne me pousse. Dans la ville, tout le monde déguerpit de chez lui, se livre à la foule, revendique son petit soi en expliquant son choix. Je ne veux pas les rejoindre. Ces gens-là me dégoûtent. Ils ne se sentent pas beaux, pas aimés, pas désirés. Dans la rue, à bien regarder, majoritairement les gens n'ont pas de gueule. Une personne sur mille, peut-être, vaut le coup d'être vue, aimée, désirée mais dans le tas, certaines se regroupent. Elles se résignent, elles clament leur amour – elles disent amour –, parce qu'il faut définir à tout prix ce qui les unit. Alors on répète le mot. On l'intègre à sa vie. On vit son amour par raison – il faut bien se la faire –, et le reste suit. Pourquoi l'école ? Pourquoi travailler ? Pourquoi s'aimer ? Leur phrase, c'est Il faut bien. La mienne, c'est Il faut mieux.

Les lasagnes sur la table, j'aimerais que le plat traîne encore jusqu'à ce que le gruyère sèche et se croûte. C'est meilleur le lendemain, c'est ce qu'on dit. Je le lui répète. Sans rancune, j'ajoute Tu te débrouilles bien avec ton four et s'intercalent à mes compliments des commentaires sur ma décision. Il ne comprend pas. Il s'implique, se crée des manquements, des remords. Il s'en veut de ne pas m'avoir suffisamment aimé, de ne pas me l'avoir montré. Il regrette sa discrétion, mon intimité abusivement respectée. Je lui répète que je vais bien. De mieux en mieux, même. Je lui fais valoir mes muscles, mon énergie, mon sommeil, la maison entretenue et l'attention que je lui porte. Et A., évidemment. Il m'écoute sans me croire.

Il me suspecte de côtoyer la drogue, le feu. Il imagine que l'on me poursuit. Il complique. S'enfermer n'est pas anodin, banal, simple. Je lui assure le contraire. Alors je lui jure, je lui jure dix fois, rien de grave, sinon je te parlerais. Maintenant que j'ai commencé je terminerai. On ne défonce pas de barrages pour retenir des poissons. Il se tait à moitié. Il range les lasagnes dans le frigidaire et s'assoit dans le salon, allume le poste. Je le rejoins. Il n'oublie pas son jour de repos. Il parle à nouveau. Je n'ai rien contre les phrases usuelles. Où est le programme ? Faudra changer les piles de la télécommande. Quelle chaîne tu veux regarder ? Je dis Fais comme tu veux. Il esquive les publicités, les images d'archives et les films. Il zappe et s'arrête sur une émission de témoignages. Il se rassure. Il écoute les participants lui parler. Il me dit Toi aussi, tu pourrais raconter ton histoire. T'annoncerais à tout le monde que tu ne sors plus. Pourquoi t'écrirais pas un livre dessus ? Tu te ferais de l'argent. T'irais en parler dans les journaux, à la radio et devant les caméras comme font ces gens-là. Ils abandonnent leur immeuble, leur gazinière, leur pavillon et se font aider. Puis ils changent de vie. Ils deviennent connus. Ils font parler d'eux. Réfléchis aux moyens de te faire connaître, t'es pas idiot. T'en serais capable, hein ? Le présentateur envoie le générique. Rendez-vous la semaine prochaine. Mon père se redresse convaincu de mon bel avenir tandis que je me dirige vers la cuisine. Je sors le fromage du réfrigérateur et coupe deux tranches de pain. Mon père me rejoint. Il a sommeil, il m'embrasse. Comme chaque jour de repos, il se lèvera tôt.

Quand il s'endort, le moteur s'arrête. Comme s'il mourait chaque nuit, mon père ne ronfle pas. J'éteins le poste. Ma mère, elle, ronflait comme une voiture allemande. Les turbines ne cessant de tourner, les courroies se sont usées. Je me lave le visage. Elle s'en vantait. Elle disait Jamais je me repose, je ne sais pas me reposer. Elle bondissait continûment, dès qu'une ambulance remontait le quai ou qu'un policier mettait la main au pistolet. Je me brosse les dents. Elle vivait en guerre. Un char blindé. Puis le moteur a claqué. Je me déshabille. Elle est partie à la casse et l'appartement n'a plus ronflé. Il est minuit. Je me couche en silence. Je compte les moutons. Leur laine se coince dans le grillage de leur enclos et devant la barrière, un sur deux ne veut pas sauter. Alors je calcule autre chose. Je réinitialise le compteur. J'énumère les ouvriers.

C'est l'infini. Je ne m'endors pas. On ne peut pas compter. Alors je prends un chiffre, au hasard, que je multiplie par leurs heures de repos. La main-d'œuvre compte tout. Je compte avec eux. Un rendement, un salaire, un nombre d'heures travaillées. Je les compte pendant qu'ils pointent. Dans quelle mesure puis-je toucher leur vérité ? Le sommeil ne vient pas. Ils existent à travers des numéros, des quantités, des sommes, des volumes, des ratios, des marges. Avant de savoir lire ou écrire, ils savent compter. Si l'on voulait écrire leur vie, il n'y aurait que des chiffres. Des résultats. Je ne résous rien de mes peurs. Mes yeux ne se ferment pas. Les machines arrêtées. L'usine évacuée. On confond grève et chômage technique. On parle de grève passive. On a tort. De grève invisible. On parle de désertion. Des ouvriers m'ont rejoint. Dehors c'est trop rasoir, trop froid, trop mécanique. Ils ne veulent plus sortir. Ils s'abstraient du monde. L'entreprise projette ses pertes. Elle ne comprend pas. Les vestiaires vides, la lumière allumée, le pont bien en place, pas écroulé. Il n'y a personne au travail et c'est étrange, loin du commun des jours. La chaîne démarre seule. La cadence ne rompt pas : il n'y a plus de cadence. On croit d'abord à de l'absentéisme de masse mais sur les quais il n'y a que des chats. Les salariés n'ont pas pris congé. Ils sont ailleurs. Peut-être en face, où les volets en plastique gris de l'immeuble sont relevés à mi-hauteur. Non, il n'y a personne. Les allées sauvages. Les belvédères éteints. Le fleuve a sa couleur d'hier et le vide ne s'explique pas. Une bombe aurait semé le chaos alors qu'ici tout est en ordre. Des enfilades de voitures siglées du losange, garées, mènent jusqu'à l'autre bout de la ville et ses parkings souterrains combles.

Sur nos interphones, les noms sont là, bien lisibles. Celui de mon père, le mien. Qui pourrait donc nous effacer ?

Jour 10

Le parc automobile a vieilli d'un jour. Les vélos dans leur local n'ont pas bougé. La sortie ouest de la ville est libre. Les chantiers de voirie suspendus. Les passages cloutés éblouissent de leurs bandes blanches. Le soleil éclaire une absence colossale. Il n'y a pas d'argent. Il n'y a pas d'amour. Il n'y a que des putes slaves au piquet. Les journaux ne réagissent pas ; on ne sait pas, il n'y a personne pour le vendre. Ce calme inhabituel a le son d'une peur qui ne m'angoisse pas. Chez moi c'est la même fuite. Le plafond goutte et dans l'escalier dépeuplé, c'est toujours la même pisse. Mon père toque à ma porte. Cette nuit nous aurions pu mourir tranquilles, tous deux toute l'usine, mais il a remis en marche sa carcasse. Par l'expression grasse matinée, i entend une nuit ordinaire prolongée d'une heur et demie. Me réveiller, c'est ce que je dois faire Mes rêves ne m'ont pas donné cœur à l'exploit C'est dimanche et j'ai le sentiment que mo énième jour de retraite a pris de l'avance sur moi

La table à manger reluit. Mon impression s confirme : la bassine contenant l'eau du voisi est pleine, je la vide. La fuite continue donc. Mon père chauffe de l'eau, me crie d'une pièce à l'autre qu'A. a téléphoné tout à l'heure, qu'elle viendra prendre le café cet après-midi. Je lui ai proposé de se balader avec nous mais comme tu veux pas sortir elle m'a dit qu'elle m'accompagnerait. Elle est gentille, quand même, A., hein ? Je me douche à contretemps. Je bois mon café dans la cuisine. À peine ai-je le temps d'enfiler un jean que mon père m'appelle dans le salon. Il est assis droit, cahiers ouverts, comme si le travail ne le quittait pas. Je lui demande deux minutes. J'appelle A., lui dire Bonjour, Je t'embrasse, Comment ça va. Très bien, Mes sœurs m'attendent, À tout à l'heure. Elle raccroche. La mélancolie matinale, je me tourne vers mon père. Y aurait-il quelqu'un au même rythme que moi ? Non. Réviser, donc. Maintenant.

Ils sont une quinzaine par classe. Deux fois par semaine, ils retrouvent un professeur payé par l'usine. Certains s'échangent des cartouches d'encre bleue effaçable mais la plupart utilisent des stylos à bille. Ils écrivent lentement, ça leur fait mal au poignet et quand le mot copié est trop difficile, qu'il faut s'y attarder, la plume bave, il faut arracher la page et parfois la suivante car l'encre transperce volontiers le papier recyclé. Le gaspillage impensable, mon père a donc fait le choix du stylo à bille en attendant d'écrire plus vite. C'est pour bientôt, c'est mon prochain cadeau d'anniversaire, il dit.

Comme ses camarades, mon père se motive comme il peut. Il affirme à qui veut que ce n'est pas un effort, ce n'est pas l'école. Il rassure ses interlocuteurs comme un moyen d'occulter ses doutes. Apprendre cette foutue langue, est-ce vraiment nécessaire pour assembler des voitures ? Après toute cette fatigue de la journée, à quoi bon embrayer à nouveau ? Alors il se contredit lui-même. Il se cherche un but, même infime. Il se relance. Il ne lâchera pas le groupe. Ne serait-ce que vis-à-vis de moi, des autres, de lui. Ses acquis, ses capacités, ses progrès. Parfois, il tient pour tenir, comme une machine parfaite, incapable d'abandon. Comme ce matin, parce qu'il préférerait faire autre chose. Par exemple aller au cinéma, se défouler dans le sport ou boire un café au bar-tabac. Régulièrement, il entreprend de grandes révisions en vue des tests mensuels. Quelquefois, il obtient la meilleure note mais rien ne l'encourage plus, une fois par semaine, que la lecture du journal. Il accède au sacré. Il me raconte ce qu'il a lu, compris, en écorchant les noms propres de ceux dont on ne parle pas à la télévision. Pour lire, il s'approche très près de la page. Il souligne les mots complexes qu'il recopie dans son cahier bleu. Il ouvre le dictionnaire. Il les apprend. I les replace quand il peut. Quand il parle avec A. notamment. Mais jamais pendant son cour m'assure-t-il. Ça fait trop intello, les autre n'aiment pas ça. Pendant que je lui corrige se déclinaisons de verbes, il me dit Il ne faut jamai être l'homme qui en sait trop, la vie c'est pas du cinéma. Sa page ne comporte aucune faute. Je le félicite. Je lui dicte un passage de roman qu'il juge un peu triste. Avec un sourire, je lui dis que les romans ne sont jamais tristes ou joyeux. Ils sont écrits ou ne le sont pas. Il me rétorque Oui mais y a plein d'histoires qui finissent bien. Je m'adoucis. Les histoires, les histoires. Je lui promets qu'un jour il écrira la sienne. Il me lance un Tu rêves, c'est à toi de raconter la tienne. Puis il rêve, je crois. Il se déconcentre. L'humilité inconsciente, il referme son cahier. Il n'y a plus qu'à espérer. Le test de demain.

Il y avait quelques livres à la maison quand ma mère était encore là. Elle ne lisait qu'en hiver, quand le froid l'empêchait de descendre discuter avec les autres femmes. Les bancs lui gelaient les fesses, alors elle remontait et ressortait sa pile. Chaque année c'était peu ou prou les mêmes bouquins sauf quelques-uns que la voisine du dessous lui prêtait. Celle chez qui je me rendais punition à la main.

Afin de ne pas le provoquer, ma mère ne lisait pas devant mon père. Dès qu'ils s'engueulaient, qu'elle lui faisait un reproche, il criait Tes livres, tu me cherches des problèmes dans tes livres, mais leurs histoires ne m'intéressaient pas. Dans ces livres que je ne touchais pas, je présumais un enjeu certain mais l'écriture me crispait tant, à l'école, que j'attendis la mort de ma mère pour en ouvrir un, lorsque mon père était sur le point de les jeter. Dans un sac-poubelle noir, très résistant, je trouvai des méthodes pour mieux vivre en couple.

Bientôt midi. Mon père range sa trousse, enfile un pull et sort le chéquier. Il étale ses factures sur la table de la cuisine. Il me demande des enveloppes ou des timbres. J'ouvre mon vieux tiroir de bureau, vide. C'est donc ça. De mes études, il ne reste que de la poussière. Mieux vaut ne pas garder de vieux ciseaux rouillés, des souvenirs inutiles. Je n'ai pas de quoi satisfaire mon père. Il remplit ses chèques sans que je l'aide. Ce n'est pas anodin. Il écrit sans faute d'orthographe les chiffres en toutes lettres. Il agrafe ses règlements aux titres de paiement. Il s'énerve, les empile. Il faudra qu'il s'y remette, donc. Acheter des enveloppes et des timbres, faire la queue à la poste, plier le tout et déposer le courrier dans une boîte. Perdre du temps quand on lui en vole tellement à l'usine. Je me sens impuissant. Je ne sais pas quoi lui dire. Je n'ai rien à lui donner. La moindre démarche quotidienne, la plus banale, demande une efficacité terrible. On imagine que ce n'est rien, que ça ne mérite pas de pleurnicher et malgré cela mon père enfouit sa tête dans ses bras croisés. On lui en demande trop. Travailler à l'usine, consacrer de son temps de repos pour comprendre une facture, écrire des chiffres, signer des chèques, gérer des comptes puis, comme si ce n'était pas assez, avoir des putains de timbres à disposition pour affranchir des putains d'enveloppes avant demain, quand l'usine reprendra. Je ressors les lasagnes d'hier

Je les réchauffe dans le four. Je lui caresse la tête, je le serre. On ne console personne à qui la simplicité résiste. Je ne peux rien dire à part Allez, on mange, les lasagnes c'est toujours meilleur le lendemain. Les pâtes ont le même goût qu'hier. Abattu, il ne relève pas mon mensonge.

Pour entrer par la porte principale de l'immeuble, on dénombre cinq moyens. Le premier, évident, est d'avoir sa clef. Le deuxième, tout aussi simple, est de sonner sur le bouton correspondant au nom de la personne à qui l'on rend visite. Le troisième, plus mondain, est de rentrer dans la cage d'escalier en même temps qu'un autre visiteur. Il est d'usage, dans ce cas-là, de lui tenir la porte. Avant le quatrième, le cinquième, parfois bruyant, est de tout défoncer. L'avant-dernier, enfin, conciliant duperie et discrétion, nécessite que l'on appuie d'une main plate et gentille sur tous les boutons en même temps. On dit C'est moi et la porte s'ouvre. Pratique pour les cambriolages, la méthode a ruiné le voisin du dessus. En rentrant de leurs dernières vacances, l'incontinent et son chien ont retrouvé leur appartement sans télévision, ni téléphone, ni chaîne hi-fi. À croire que les pillards habitaient le quartier : tous les appareils qui brouillent le silence avaient disparu. Le maître et son chien pleuraient fort sur le palier. Puis ils claquèrent la porte, plus rien. Je ne reçus que plus tard un mot très anonyme me soupçonnant d'ouvrir la porte à qui me le demande, mais preuve que je ne suis pas le seul à le faire, quelqu'un sonne à la porte de l'appartement.

J'ai le bras trop court, me dit A. Je n'arrive jamais à toucher ton nom sur la liste de l'interphone mais ta quatrième technique marche vraiment bien. Mon père se reprend. Il ne va pas mourir pour un timbre. Il se fait une raison, une de plus alors que je le préférerais, malgré la peine, encombré par sa monstrueuse logique, sa gigantesque impuissance étouffée, que la peau cède, qu'il vomisse, lâchant un peu de sang et de surplus de production automobile. On ne choisit pas à la place de son père pourtant je ne voudrais pas qu'il se console à travers A. et ses bonjours qu'elle lui envoie dans un sourire perpétuel. Avant l'indicible, il y a l'insupportable qu'il s'oblige à supporter. Tenir, soudé à la chaîne de montage. Une résistance métallique. Les hommes de fer ne sont pas de race humaine. Ils se corrompent, ils se pourrissent. Les os noirs, sous les côtes c'est fétide.

Moi, si près de lui, je connais l'odeur de son corps. Pas besoin de lui enfoncer les doigts dans la gorge pour savoir qu'à l'intérieur c'est toxique. On ne s'approche pas de lui sans contracter la maladie. Ses amis de cours ont les mêmes plaies. Parmi eux, une souffrance unique. Le mal uniforme dans lequel le pire se confond au pire. Au moins, au moins, au moins, à se côtoyer entre tuberculeux, au moins ils ne risquent rien. Sous couvert d'entraide, de secours, ces mots de solidarité jouée, ils se gardent leur virus. Entre eux, il n'y a ni contaminant ni contaminé. Ils ne se doutent de rien. On ne remarque pas l'infection au milieu d'une fosse commune. Il faut du vent, que des filets d'air irrespirable alertent les voisins alentour. Les indices d'un drame ne pullulent jamais qu'en marge.

Désormais tout s'élucide. À force d'endurer, de se laisser prendre par la moisissure, de se croire plus fort qu'un homme, un parfait ouvrier, de refouler l'insupportable, mon père s'est mué en pot d'échappement. Il surchauffe. En parlant il me crache de l'amour vénéneux. Quand c'est la neige, dehors, qu'il rentre de son bassin bactériologique, de son usine, il garde la main chaude, capable de servir un plat de lasagnes bouillant à mains nues. Près de lui c'est la chaleur compulsive. Il me réchauffe quand il s'assoit à côté de moi et si je m'enferme c'est afin de veiller, en quelque sorte, sur ce feu domestique. Il brûle, tout s'éclaire, il brûle comme il a brûlé sa femme. Dans les fièvres de ma mère, dans sa folie de femme se cachait un meurtre lent. La mort se propage.

Mon père a tué ma mère, ça ne fait plus de doute. J'ai peur et ça m'attire. Je le sais pertinemment, on n'échappe pas au bourreau de sa vie. Ma mort a commencé et se finira par lui. En revanche, je crains pour A. Mon père la débarrasse dans le salon pendant que je prépare le café. Elle me rejoint dans la cuisine. Je l'imagine nue. Je suis coupable. Elle ne nous mérite pas. Le corps déjà contaminé par lui et moi. Je lui demande Ça te fait quoi de vivre au milieu d'une usine, je veux dire un monde où tout tourne autour de ça ? Qu'on ne parle et ne vive que de ça ? Elle ne répond pas. Le bruit de la cafetière entartrée annonce comme un début de guerre. J'insiste C'est vrai quoi, tout le monde travaille là-bas, ne vit qu'autour d'elle, tous tributaires de ses horaires, son avenir. A., regardant le café perler, J'en sais rien, moi, l'usine ça fait longtemps que j'ai oublié, c'est le passé. Mon père s'approche. Il a tout entendu. Il sort trois tasses et des biscuits avec une impossible discrétion. Les tiroirs claquent et les meubles de cuisine vacillent. Entre autres choses, il est temps que sa prochaine journée de repos nous serve au bricolage. Je remplis les tasses et porte le plateau au salon en me demandant quelle vérité A. s'apprête à lâcher. Elle me dit Attends. Elle me retire le plateau des mains. Je me suis trompé : nous n'allons pas vivre la guerre. Nous allons panser les blessés. Assise en tailleur sur la moquette, elle nous regarde tour à tour. Elle n'a pas la voix faible, juste entaillée. Elle explique En fait pour moi l'usine c'est le passé à cause de mon père. Il est mort en face. Une seconde après, interpellant le mien, Vous le connaissiez ? Il nie, le visage garrotté. Elle reprend C'est pas étonnant, vu le nombre que vous êtes mais son nom vous dirait peut-être quelque chose, enfin bon je pense que vous auriez déjà fait le rapprochement avec moi si vous le connaissiez. Bref il y a de ça quelques années. Un accident.

Jusqu'alors, je savais son père mort bien que nous n'en eussions jamais vraiment parlé. L'information avait surgi dans le non-dit, et je n'étais pas spécialement impatient d'en obtenir les détails. Connaître la moitié d'un secret désamorce souvent la curiosité.

Heureusement, A. ne prête pas attention à l'immobilité de mes bras maladroits qui voudraient la serrer contre moi et qui n'y parviennent pas.

Elle : J'en ai jamais parlé parce que depuis le début, depuis sa mort je veux dire, j'ai tout de suite pensé à quitter le quartier sans rien dire, je faisais comme si, je restais chez moi des journées entières en attendant que ma mère se décide et finalement elle a voulu rester. On avait un logement, une stabilité quoi et puis elle voulait pas perturber mes petites sœurs en les changeant d'école et son grand truc, c'était de me dire qu'on ne déménage pas ses morts, on doit rester près d'eux pour pas qu'ils s'ennuient, surtout quand on leur a juré fidélité, et à l'époque c'est vrai que c'était vraiment lourd parce qu'il n'y avait pas un jour où je n'entendais pas parler de l'usine, où je voyais pas quelqu'un en revenir ou y aller. Les corps d'ouvriers, je pouvais pas les voir, c'était comme si mon père n'était pas mort.

Elle encore, plus inquiète : Normalement, je dis ça mais je sais pas, normalement quand quelqu'un meurt, j'imagine, il reste que les objets qui étaient à lui, on les garde ou on les jette, et pour les souvenirs on se débrouille avec, on pleure de temps en temps, au début surtout, les souvenirs des preuves d'amour c'est le plus dur, on revoit la personne vous aimer. Mon père acquiesce. Il la coupe. Je n'aurais pas osé.

Lui : Oui.

Elle : Si je n'en ai jamais parlé, c'est peut-être parce que pour moi il n'était pas tout à fait mort, vous voyez. Même après l'enterrement mon père était partout, il souriait dans la rue, il se rendait encore à l'usine tous les matins dans sa blouse, il attendait sa pause déjeuner, ses jours de repos et ses congés, et je n'en peux plus de cette fournaise, je suis désolée de dire ça, je partirais si mes sœurs étaient plus grandes, et là, aujourd'hui, je voudrais qu'on la brûle, cette usine, qu'on arrête de servir de boulons, je peux plus la voir, elle nous détruit d'autant plus qu'on n'y fabrique rien, c'est des mensonges, cette île c'est l'île de la destruction, je peux pas croire qu'elle est utile.

A. me jette dans le désespoir de l'évidence et le soulagement du partage. Je ne force pas ma compassion comme je ne nie pas ma joie d'aimer quelqu'un méprisant mon plus grand ennemi. Comme moi et mon père, elle porte la maladie de l'usine mais je n'y suis pour rien. Je ne me sens plus coupable. Le sale virus, elle le portait avant moi. Je l'aime encore, elle finit son café d'une gorgée et demande à mon père, presque sereine De toute façon, d'après ce que j'ai entendu au journal télévisé, la fin c'est pour bientôt, non ?

En cette journée de repos, à peine a-t-il appris que sa belle-fille tendait à retrouver son père en lui et qu'elle lui souhaitait le chômage, celle-ci le fait passer une seconde plus tard pour un menteur immense auprès de son fils.

Moi : Qu'est-ce que tu dis ?

Mon père, en face de sa tombe, sa tête vers moi mais les yeux bas il avoue Je ne t'ai rien dit parce qu'il y a rien de sûr, et je pensais que tu en avais entendu parler mais puisque tu veux savoir, c'est vrai que c'est possible que tout finisse, tout le monde en parle mais y a rien d'inquiétant, je suis d'accord avec A., ce serait peut-être même bien, on passerait à autre chose. A. me serre dans ses bras alors que l'inverse devrait se produire. Puis elle s'excuse alors que c'est à moi de m'excuser. Pas besoin de m'enfoncer les doigts dans les yeux pour sentir que je pleure de sentiments contraires. On m'a jeté trop brusquement à l'extérieur. S'enfermer sert peut-être à ça : tout faire pour tout sentir. Décupler ses forces et ses peines. On peut le nier ou en rire, mais c'est peut-être le moyen d'éprouver dans le rien l'intense. L'occasion de vivre fortement.

Les gens veulent changer de vie, ils désirent autre chose, ils refusent les complications, ils veulent penser ce qu'ils pensent et se verraient bien vivre dans un village, près des petits commerçants, ici personne ne se parle, on étouffe, ils aimeraient bien avoir le temps qui leur manque et partir à la campagne, manger des vrais fruits plaident-ils et boire du vin de pays, ils n'en peuvent plus de la routine, ça pleut toujours. Pour eux c'est toujours gris. Quand ils repeignent leurs murs, ils choisissent des couleurs chaudes, ils se promettent le Sud et l'hiver arrive, ils n'ont toujours pas changé de vie, dix jours, pardon, dix ans ont passé, les résolutions de la nouvelle année n'ont pas varié. Changer le quotidien. C'est une volonté si vague mais si pressante que les politiques ont raison d'être flous. Qu'est-ce qu'une vie qu'on change ? Comment la change-t-on ? Qu'est-ce qu'un quotidien ? À travers un entretien paru dans le journal de la ville, le maire nous promet des arbres, moins de bruit, moins de pollution. L'aide à la création des petites entreprises et le soutien à la culture. Il dit Il en va de ma responsabilité que d'améliorer notre quotidien et notre cadre de vie. Mais qu'a-t-on pu demander à ce type ? Des platanes ? Des cartes de bibliothèque avec photo ? Qu'est-ce que le quotidien sinon avoir un nom, un prénom, une adresse et une clef à mettre dans une serrure ? À part composer des numéros sur un téléphone, le payer, faire tourner des machines à laver, descendre au supermarché et prendre la voiture quand on en a une, payer ce qui va avec, la taxe essence, la taxe parcmètre, les contraventions et l'assurance ? Qu'est-ce que le quotidien que tout le monde s'acharne à changer ? C'est quoi cette lubie alors qu'il est si facile de le transformer, justement ? Pourquoi l'affaire grossit-elle ? Le courage du bonheur se mérite. Avec un peu d'intransigeance, on change de nom, d'adresse, on vend son téléphone, on cultive ses poireaux dans un pré. On s'enferme pour finir de supporter. Je ne sais pas, on essaie on réagit on tente pourvu qu'on arrête de faire comme si tout le monde était prêt au changement. On se tait.

Mon père et A. rentrent du parc. Les mots reviennent. Ils ont dû fermer les yeux à l'aller comme au retour, sur le deuxième pont, pas celui de l'usine, celui qui mène à l'autre rive. Ils ont rêvé d'une autre ville. Après le musée de céramiques, ils n'ont pas foulé les pelouses monumentales, ils n'ont pas atteint la terrasse, ils ne se sont pas essoufflés à grimper sur la colline. La tristesse bloque les muscles. Les allées de gravier étaient plus confortables pour le recueillement. Ils ont marché lentement, les pieds dans les cailloux et le sable résonnant comme au cimetière. Ils sonnent à l'interphone. Je leur ouvre. Je bois un verre pendant qu'ils montent. Ils m'embrassent. A. s'allume une cigarette. C'était bien, d'après ce qu'ils disent. Je ne suis pas jaloux de leur silence propre à ces gens se connaissant si bien qu'ils n'échangent pas un mot en société. Je leur demande comment est l'air, comment sont les gens, comment s'habillent-ils, dehors, par ce temps. Ils se moquent de moi, T'as qu'à sortir. Toutefois leur sourire de vaincus prouve qu'ils n'ont pas d'arguments convaincants.

Rien ne mettra fin à mon pacte. À l'extérieur c'est encore la sale guerre. Je refais du café et sors du placard la fin de notre réserve de biscuits secs. A. se blottit contre moi. On parle de tout, du quotidien. On s'imagine des vies tous les trois, après l'usine. Mon père se retire dans sa chambre. Elle me caresse le ventre, sous le tee-shirt. On s'imagine s'aimer autrement qu'en défiant notre adversaire, autrement que dans la bonne raison consolante, celle qui apaise tout juste l'inquiétude de son au revoir. A. se lève. Il faut bien que je rentre chez moi. Je l'embrasse plus fort que d'habitude comme je n'aimerais pas qu'une bouche me console en appuyant sur la mienne. Je suis maladroit, la porte se ferme. Elle me rend visite demain. Inutile de vérifier ma fatigue dans le miroir de l'entrée. L'après-midi fut éreintant.

Encore manger. Je prépare le dîner. L'eau bout. Mon père dispose deux assiettes deux fourchettes et deux couteaux sur la table. Je retire le riz du feu. Il se sert, il met du beurre, il a besoin de manger, il nourrit son corps épuisé par la machine, la balade au parc et le père de A. qui le renvoie à sa propre mort. Il mange pour se remplir. Tant pis si c'est trop cuit ou pas assez. À défaut de l'escorter dans le travail je l'accompagne dans ses repas. Il en est heureux. Il me le confie. Je réponds rien. Je n'ai pas d'avis. Je me fous de la nourriture tant qu'elle n'a rien d'exceptionnel. Je m'alimente. Je mange avec lui pour le regarder jusqu'à la fin la bouche ouverte et gluante, le riz trop cuit. Je ne perdrai pas une miette de son mystère, sa persévérance quand il s'avance chaque matin vers sa machine. La répétition que je méprise, qui me captive. Je débarrasse la table. Il m'embrasse, il faudra réussir le test de français, il se couche. Je fais la vaisselle. Je retrouve mon plat de lasagnes, je gratte. Je l'ai fait tremper mais le fromage brûlé ne se décolle pas. Je ne vais ni rire ni pleurer. Je gratte. J'expie à la force du bras l'image de mon père. Du père de A. Je rince l'évier. Je m'allonge sur mon lit, je ne regarde pas le divertissement du soir. Je bouquine. Je me suis réveillé en retard sur une journée que je clos en avance. Je crois m'endormir. Il n'est pas tard. Je retire mon pantalon les yeux fermés. Je ne baisse pas le volet roulant. Je dors. Premier, deuxième, troisième cycle de sommeil. Mon corps fait partie de ces choses qui traînent et je dors mal.

Je n'ai pas le cœur au rangement. Quand je côtoyais le groupe, je croyais à la sincérité des rires que nous partagions. Mais ce n'était que mensonge. Je ne les trahis pas, je ne déserte pas ; je ne change pas de camp mais nous riions parce qu'il n'y avait rien d'autre à faire, rire tout le temps quand rien n'était drôle. Lorsque le futur n'est qu'une usine, on ne rit pas et pourtant Oh la la quelle idée, que c'est drôle d'aller trimer à l'usine, on s'en faisait des délires, T'as une tête d'ouvrier toi, Attends que je me marre, T'as une sale tête de carrossier, Ha ha, Je peux plus respirer, De carrossier, de carrossier n'importe quoi, toi, Ta gueule c'est une gueule de pneu, Trop fort, Trop drôle le pneu. Je riais. On riait, nous riions et quand nous en avions fini de rire, on se confortait dans notre langueur à parler comme des vieux assis sur leur banc de bal populaire, on se disait Ah quand même qu'est-ce qu'on rit, on est bien ici, c'est pas l'air de la campagne mais le vent du soir, l'été c'est trop bon. Nous appréciions l'atmosphère irrespirable comme nous riions de nos destins spectraux. Faire comme si, faire comme si et se traîner au lit parce qu'il n'y avait rien à vivre. Nous nous réveillions lymphatiques. Il fallait attendre longtemps, souvent l'après-midi, le moment où l'on a tant dormi que le corps ne supporte plus la position allongée. Nous ne nous levions pas de plein gré. C'était le corps, seul, qui se battait par instinct contre une ankylose dangereuse.

Jour 11

J'ouvre les yeux avant la sonnerie du réveil. La tension m'exhorte. Je ne bande pas mécaniquement. C'est le désir. Je pisse courbé le sexe à moitié dur. Au-delà de l'assentiment, la différence entre incarcération et enfermement réside dans la perception du temps. Le cloisonnement de force ralentit les heures. On m'aurait envoyé en taule, mes nuits auraient pris le rythme d'une barbe qui pousse, le temps lent, mais il n'en est rien. Je me gratte la tête. Je me lève dans l'empressement d'une dernière voiture à construire, du café à préparer, d'une visite de A., de mon sport et du test de français. L'acte volontaire de ne plus me raser. Je me douche, je me touche à peine, mon père se réveille. Le jour est donc là, je me branlerai après. À présent c'est mieux que différent. Je m'essuie. J'allume la lumière de la cuisine. Je suis encore nu tandis que mon père se lève, la casserole sur le feu, il se brosse les dents, l'eau frémit puis il m'embrasse. J'ai froid. Il passe la main sur ma joue, je regarde l'eau bouillir, je tourne la tête, les bulles éclatent à la surface de l'eau, mon père n'en peut plus d'aimer, des gouttelettes giclent, je retire la casserole des plaques chauffantes, les projections d'eau brûlante me piquent l'avant-bras. La dernière fois qu'il a embrassé mon corps nu, je devais être bébé. Je verse l'eau dans les tasses. Il n'y a pas d'autre geste à faire, c'est toujours la même eau, la même casserole qu'on remplit, qu'on vide, qu'on nettoie, qu'on range, qu'on ressort, deux fois, trois fois par jour, on la remplit à nouveau, l'eau bout, c'est le matin ou le soir, le rite marquera les jours jusqu'à ce que les tasses se fêlent. J'enfile un jean. Il mange, il boit, il fume une cigarette. Il parle de son test, du père de A., des dernières révisions qu'il fera à sa pause déjeuner. C'est l'heure d'y aller. Il me demande Tu seras là quand je rentrerai ? Je dis Oui, certainement. J'ignore son manque de bon sens, j'en souris, je serai là puisque je ne sors pas, je ne vais pas lui répéter mille fois, l'histoire on la connaît, il part et ma peur le suit. Je décroche l'interphone, j'entends s'ouvrir la porte d'entrée, je lui dis Merde pour ce soir et bonne journée. Alors il marche, il avance, il profite de sa chance malheureuse d'habiter à côté. C'est une chance, oui, quand la plupart des ouvriers prennent le premier métro, ça dure une heure, parfois plus, ils habitent loin, ils changent de ligne, ne trouvent pas toujours de place assise, ils occupent des wagons à en faire péter les sous-sols. On vient de plus loin qu'il n'est possible de voir depuis la terrasse du parc. Quand mon père boit son café dans la cuisine, certains ont déjà le leur dans la vessie. Ils pissent en arrivant, debout côte à côte, la tête tombante de fatigue sur leur bite.

Matinée. Culture du corps et de l'esprit. Entretien de la maison. J'écris une lettre recommandée au voisin du dessus, copie à l'office du logement. Je colle un Post-it sur le courrier que je dépose sur la table de nuit de mon père. Encore un timbre, une autre enveloppe. Il est midi. La chaîne de montage s'arrête. Les ouvriers desserrent les mains, abandonnent leurs outils. Il faut manger, trouver des vivres. C'est aussi normal qu'animal. Les bêtes engorgent les vestiaires et se dispersent. Quelques-unes traversent le pont, pressées de s'accouder au comptoir de leur bistrot préféré. Tandis que la majorité des types de l'île font la queue à la cantine, certains sortent de leur besace une tranche de viande à la mayonnaise froide préparée la veille. Ils s'asseyent dans un coin de leur atelier ou s'improvisent une terrasse avec vue sur fleuve dans un renfoncement ou sur un petit morceau de toit. En comptant cinq minutes de battement et dix minutes de déjeuner, les plus fuyards ont quarante-cinq minutes pour dormir, pêcher un poisson, bronzer ou jeter des cailloux dans l'eau. Sa barquette en aluminium remballée, mon père révise ses derniers exercices dans l'atelier. D'autres ouvriers, enfin, finissent leur pause par de l'alcool ou de la drogue douce. Que serait un déjeuner sur l'île sans un peu d'herbe ? Quand le travail reprend, leur risque d'accident est multiplié par trois, cinq, neuf. La chaîne redémarre. On oublie les chiffres du danger. Le bruit qui rend sourd, c'est une ou deux oreilles en moins, mais quand c'est l'incendie, une machine qui implose, une série de corps rejoint le cimetière. On a déjà extirpé des cadavres coincés dans une presse. Cinq minutes de deuil par ouvrier, est-ce assez ? La chaîne ne se pose pas de questions, elle s'arrête le moins possible, les commandes suivent, on remplace les hommes, on en fabrique de nouveaux, on leur montre leur geste. On se sert des plus vieux pour former les plus jeunes pendant le temps de travail, et quand les nouveaux venus déjeunent avec leurs aînés, on leur rabâche les mythes fondateurs et les anecdotes incontournables. Les seniors se rappellent leurs morts. Le père de A. ? Ils évacuent, ils parlent de ces collègues, de ces familles disparues, les déménagements, les voitures surchargées, toutes ces histoires recoupant du chez-soi et de la mémoire ouvrière. Tout se mélange, tout est lié, et c'est un devoir d'aîné que de transmettre aux recrues l'essentiel, à savoir les moyens secrets de changer son cœur d'homme en losange. Le travail a repris depuis dix minutes. J'attends qu'ils aient fini pour manger devant un film.

Il y a quelques années, la mairie n'aurait en aucun cas envisagé la fermeture du Rex, le cinéma du nom de tous les cinémas. J'achetais les tickets tarif réduit donnant accès à l'unique salle juxtaposant la réserve du supermarché.

Nous y allions souvent avec A. Le premier film que nous avons vu ensemble était une reprise. Il portait sur une révolte de mineurs. Le personnage principal rentrait chez lui le visage noir, du charbon dans le sang. Sa femme l'attendait. Une fois rentré elle l'attendait encore, c'était comme si. Et pour briser l'expectative, quand son mari le décidait, il l'empoignait et l'allongeait sur la table. Un plan la montrait grimaçante, tête de côté, le ventre aplati sur le bois. Lui, le cul serré, peureux de se faire enculer, tirait sa langue de charbon. A. n'y croyait pas : il la baisait à la pioche. La crudité m'excitait tout autant que la passivité de cette femme me répugnait. Je voyais mon père et ma mère. L'amour des mines devait ressembler à celui de l'usine. On graisse l'écrou, il se visse à la tige, les deux pièces en métal se resserrent, on ne sait pas, est-ce que l'écrou s'accroche à la vis ou l'inverse ? Est-ce que la pioche fend le minerai ? Est-ce que le charbon casse du fer ? Dans le charbon ou la tôle, le désir se définit selon les mêmes logiques. On laisse sa force au travail, de l'énergie perdue, puis l'homme machinal tente de se montrer plus fort que sa pioche ou sa machine. Idéalement, plus le travail abîme plus il faudrait jouir. Je n'avais pas d'autre explication à cette violence improbable sinon qu'il ne baisait jamais. Ce qui était le cas, et je me disais que mon père ne montait plus sa femme parce qu'il montait trop de voitures. Si je n'ai jamais voulu travailler, c'est peut-être, aussi, par peur de perdre du désir.

Le travail sur l'île a repris depuis vingt minutes et j'ai le ventre vide. J'ouvre le frigo. Je gobe un œuf, du pain, un yaourt, une pomme, je dors une heure, je me branle devant la télévision, une séance parlementaire et j'attends A.

Je n'aime pas le sexe à blanc, finir trop vite et continuer à l'exciter avec les mains et la langue, rattraper comme on peut le boulot mal fait. J'éjacule seul. Je préférerais éjaculer avec elle, évidemment, faire l'amour et finir ensemble, finir de jouir et attendre la fois suivante. Construire mentalement la prochaine jouissance. Imaginer ce qui me stimulera. La prochaine partie de son corps sur laquelle j'insisterai. La nouvelle obsession. Et sur moi, aussi, lui indiquer ce que j'aimerais qu'elle me fasse. Il n'y a que dehors, derrière la grille du parc, où l'on y allait totalement, les mains dans les fonds de poches et derrière, dans les habits. En revanche, au début de notre histoire, c'était ses seins que je voulais partout, que ses tétons touchent à tout. Qu'ils me pointent le dos, la colonne, les fesses. Ses bouts sur mon trou de l'urètre. Côté mains, elle touchait mécaniquement mon torse, et ses doigts longs, précautionneux par expérience, évitaient de m'étrangler le sexe. Elle me branlait pour ne pas que je lui reproche de ne pas le faire. Elle branlait moyen, finalement, mais je lui pardonnais, ses mains s'étant essayées à trop de façons de branler pour se contenter d'une manière ni trop sage ni trop dure. Alors je lui ai demandé ses seins puis ses bras puis son visage. Je voulais qu'elle se frotte à toute ma peau en la renvoyant à son discours pour ne pas qu'elle se vexe : Pour voir ce que ça fait. Rien que de la peau.

La méthode lui devenait de plus en plus plaisante. Ainsi nous avons utilisé chaque fraction de corps. On s'est aimés par bouts, et maintenant que nous avons essayé l'ensemble des possibilités, que l'on s'aime en entier, on pense à ne plus faire l'amour, Pour voir ce que ça fait. Peut-être est-ce inutile.

Mon enfermement aurait pu marquer la fin du sexe entre nous, une fois que le tour du corps était fait. Mais non. Avec l'envie de jouir c'est impensable, on s'y remet encore, sans rien inventer. Avec A., nous nous sommes dit que dans le sexe, c'était aberrant de revendiquer de l'invention. Les pratiques se sont succédé mais aujourd'hui, je veux son visage, surtout. Je ne m'en lasse pas tandis que je lui donne le mien. Offrir sa gueule c'est abandonner sa beauté. Je veux bien qu'elle me souille le nez, les joues et le front, qu'elle en mette partout, jusqu'à baigner dans son formol, c'est ce que j'espère à chaque fois, quand ça pue un peu, les sourcils humides, et que l'on continue à se salir comme ça parce que nous ne dérangeons personne à nous faire du bien. Dans l'excitation il y a toutes les salissures, on y a droit. Il n'y a qu'après l'orgasme que tout redevient dégoûtant, mais avec l'âge la répulsion de l'autre s'apaise. On s'habitue. La somme de nos deux sueurs. La descente plus lente. Et l'on refait l'amour. En fait, je ne l'ai vraiment aimée qu'à partir du jour où les descentes n'existaient plus vraiment, quand éjaculer n'était plus ce toit d'usine duquel je me jetais. Que le sperme vienne ou non, que ce soit le moment où l'on fait l'amour ou celui où l'on s'attend, désormais, je ne vois plus qu'une ville haute, seule, insonorisée, qui contiendrait ce qui demande à la fois la place d'une terre salariée et d'un casier d'ouvrier. Dans l'enfermement et le désir adjoints, en fait, j'ai cerné l'intimité. Pour la première fois, j'ai pris conscience de mon plaisir, sa voie d'accès. Et je ne m'imagine pas recommencer à tout livrer. Même si mes anciens potes agissent comme s'ils se foutaient des absolus, du désir par exemple, la question les angoisse à tel point qu'ils la remettent sans cesse en question en même temps que leur agressivité se développe. Forcément, ils veulent savoir le truc qui fait que l'amour n'est plus bancal. Ils regardent le nombril des autres pour lui arracher une solution.

Quand ils nous voyaient avec A., la bande crachait un peu. Ils voulaient que nous rompions. A. disait C'est normal. Et je pensais comme elle. Les absolus reculent tellement devant les valeurs tièdes de la vie moyenne, la vie moins chère, que l'amour souverain n'a jamais été si convoité. Et je me dois de nous protéger, l'attendre encore. La prendre dans mes bras quand elle arrive. Fermer la porte pour construire ma prison. Quelques jours d'isolement et j'ai changé de ville sans changer d'appartement.

A. sonne comme elle peut, sur la pointe des pieds. Elle sonne une fois, deux fois, elle appuie. Encore plus fort même si les sonneries d'interphones ignorent les nuances. Les coups se rapprochent, se chevauchent. Elle s'esquinte 'index. Son manteau trois-quarts gèle. Elle a peur qu'on la casse au marteau. Je n'ouvre pas et le froid reprend avec le vent. Elle s'énerve, s'imagine en glace pilée, la sonnerie devient nsupportable. Je ne sais pas vraiment à quoi je pense. Son appel électrique manque d'amour. Je suis imprégné d'absence. Je me demande Quels entiments trouve-t-on au centre d'un iceberg endu ? Je ne me dépêche pas. J'ignore si j'ai envie, encore une fois, de ce va-et-vient entre 'attente et l'amour. Parce que ça me fatigue, nalgré le désir, cet automatisme des fins d'après-nidi où elle me rend visite.

Et pourtant je l'aime, je me prépare à sa enue. Je me branle, je lis et me lave pour être totalement prêt. Elle sonne. Elle me harcèle. Je ors de ma douche grelottant, Oui, oui, j'arrive. e décroche, Bonjour c'est le harcelé, Tu ouvres, crie Oui comme je lui dis oui, comme je la ens venir à moi, que je la clive lentement.

Quand on ne sort plus les gens s'inquiètent. s n'admettent pas, comme A., que l'on peut tre chez soi sans être là. Parce que je ne mets lus un pied dehors je devrais réagir vite, oujours, bondir sur l'interphone ou le téléphone dès que ça sonne et qu'on me demande, ans la seconde, impérativement, tout de suite et pas plus tard, non, même si c'est pour dire Je te rappelle, ou Repasse plus tard je ne suis pas prêt, il faudrait que je sois là, que j'accorde cette politesse, répondre, c'est la moindre des choses sinon c'est le début des reproches. Même A. partage cette opinion comme quoi je devrai me rendre plus disponible. Comme quoi c'es égoïste de ne penser qu'à soi comme je le fais dans le confort de mes radiateurs électrique et du chauffage au sol. Je lui ai gâché quelque secondes en bas de l'immeuble en ne lui ouvran pas. Les gens n'acceptent plus le froid. Ni l chaud, d'ailleurs, la lumière trop forte des cani cules. Je ne présente pas d'excuses. Je l'embrass puis elle déballe ses courses dans la cuisine.

Elle : Avec tout ce que je fais pour toi, tout c que j'accepte, est-ce que tu crois, vraiment, qu c'est facile de supporter que son mec s'enferm mène la vie qu'il veut ? Tu crois que c'est facil de vivre dans des conditions pareilles ? Tu cro pas que je préférerais quelqu'un de là, tout l temps là, avec qui je verrais des amis, j'ira manger au restaurant et qui m'offrirait s présence quand je fais des courses, que m'achète des fringues ou que je décide de m planquer chez moi ? Bien sûr, moi aussi j'aim rais bien rester tranquille, les soirs dans la fa gue. Avec mes sœurs c'est pas évident, toi ça v tu peux te le permettre alors respecte-moi u peu, imagine une seconde que tout le monde n pas ta chance de glander alors au moi respecte-moi quand je me rends dans le pala de monsieur. C'est ça, la question. Pour qui tu te prends, pour qui ? T'accordes des audiences ? Tu décides un jour oui un jour non ? Tu voudrais que je repasse plus tard ? C'est pas le moment ?

Et c'est le comble, évidemment. Comme si le sens de mon enfermement n'était pas le bon – m'enfermer comme un sauvetage et pour mieux donner, recentrant mon attention sur les deux personnes avec qui l'amour est possible, mon père et A. Certes, je fuis ce qui m'est inaudible, je me protège de la parole du quartier, mais ce n'est que pour mieux écouter mes deux amours. Du moins je le voudrais, mon intention est celle-là. Mais je n'y parviens pas. Si je pleure de ces mots durs contre moi, c'est que l'égoïsme me tue. Pourtant, est-ce que je pleure de ma condition ? Le dégoût de mon égoïsme est-il vraiment la source de mes larmes ?

Dans ce qu'elle me crie, dans le prolongement de sa diatribe sur mon inadaptation totale et la charge que je représente pour elle, je n'entends que le comble du comble. Tu crois que c'est facile de supporter que son mec s'enferme, mène la vie qu'il veut ? Mes sanglots se parachutent sur cette phrase. Ils tombent sur un point essentiel, entre elle et moi. Une question en dehors de notre tendresse, du sexe et de nos solitudes. Comment peut-elle m'interdire de vivre la vie que je veux ? Pourquoi fait-elle semblant que son désir ne correspond pas au mien alors que nous avons les mêmes tentations ? Elle se garde de l'annoncer mais elle ne rêve que de s'éloigner de tous. Ce monde n'en finit pas de la pétrifier. Devant l'école de ses petites sœurs, quand elle fait la sortie, ne souhaiterait-elle pas que les parents arrêtent de ragoter comme quoi c'est une fille mère, comme quoi c'est une pute parce que son manteau est neuf, comme quoi c'est une bourgeoise parce qu'elle aligne des phrases à peu près correctes ? N'aimerait-elle pas se faire oublier ? Ne voudrait-elle pas maîtriser les contraintes de la vie sociale ? Et d'ailleurs qui, du fond de son côlon, n'envie pas les évadés ? Pourquoi suscitent-ils autant d'admiration ?

Alors elle me serre le torse. Elle pleure entre mes pectoraux, ma respiration s'espace. Elle bloque mes côtes, je ne contrôle plus mon souffle. Je n'inspire pas assez profondément pour revenir à l'état de paix, celui du plus fort. Je ne la protège plus. On pleure de nous, à deux. Se lamenter n'a rien de beau. Nous serions mieux ailleurs, ailleurs on rirait, on ferait des courses de voiture, des enfants et des voyages avec un sac sur le dos. On se raconterait des histoires paranormales pendant que notre chien Largo s'endormirait sous notre tente plantée dans un désert de sel. Nous nous rendrions dans des lieux sans tracé ni frontière. Mais les lois de l'attraction nous attachent au losange. La souffrance magnétise. Ici, les immeubles enveloppent des cœurs intensément peinés de puiser très loin dans l'amour, des cœurs tristes de se fatiguer à la tâche et découragés comme des chercheurs de pétrole qui auraient pompé, pompé, pompé la terre pour n'extraire de leur puits, en fin de compte, qu'un résidu de fleuve, une flaque. Et dans cette déception, pas besoin de creuser plus pour imaginer ce jour-là, un printemps quelconque, quand l'usine fermera.

Ce jour-là, nous ne pleurerons plus.

Je t'aime.

Jour X

Aujourd'hui, c'est l'occasion pour moi de sortir et rejoindre la foule. Une occasion d'ores et déjà manquée. Sur la berge où je ne suis pas, on reconnaît immédiatement les ouvriers à leur blouse. Les femmes et les enfants intègrent le cortège. On rassemble sa famille comme on peut. On s'interpelle. Le comité d'entreprise a prévu une cérémonie exceptionnelle. Les travailleurs rassemblés sur le pont accueilleront la dernière voiture qui, au lieu d'embarquer immédiatement dans un camion de livraison à deux étages, défilera devant eux.

D'habitude, les ouvriers fendent le brouillard du matin, clairsemés et rapides, et convergent jusqu'au portail de l'usine, mais comme pour dramatiser l'adieu, c'est plein soleil. La masse est compacte, diluée par les badauds du coin et les reporters spécialement dépêchés. Je me penche à la fenêtre. Aux étages inférieurs, les têtes se bousculent. Les regards confluent au-dessus du fleuve. À l'extrémité de la passerelle, les portes s'ouvrent. Entre la rage des licenciements et la joie d'en finir, les visages amollis tendent à la circonspection. On sort le dernier modèle qui finira, comme les autres, chez un concessionnaire. Il n'est pas question de le conserver. Les symboles ouvriers puent la sueur. C'est la mémoire sale, mieux vaut s'en débarrasser. Quelques ouvrières posent la main sur l'épaule d'autres femmes. Les hommes, quant à eux, lâchent un bout de leur prise virile sur la vie à mesure que le véhicule avance. Les quatre roues semblent bien petites par rapport à l'œuvre pharaonique qu'on abandonne. La voiture est une crotte couleur bonne chiasse. Autrefois mausolée technologique érigé à la gloire du travail national, l'ouvrage colossal et protéiforme, rapide et métallique, n'est plus qu'un tronc d'arbre évidé flottant sur l'eau trouble d'un cours d'eau. Bien évidente, pourtant, par son immensité carcérale, personne ne regarde l'usine. Le monstre. Malgré les critères aménageables auxquels on reconnaît une œuvre d'art, ce n'en est pas une. Vidée de ses hommes, elle n'a plus sens. Ce n'est pas un immeuble aménageable en bureaux, un bâtiment que l'on sait potentiellement utile. Un monastère converti en gîte. Une cathédrale en ruine pour faire beau. Un rempart, une porte médiévale, une statue ratée, une mosquée en rénovation, une épave repêchée, une carcasse de camion géant, une base militaire camouflée, une école sous les bombardements, une cantine du peuple sans pain, sans eau potable, on peut chercher encore parce que ça ne suffit pas. Un aéroport pour avions écrasés, une réserve d'animaux empaillés, un hangar sans blé, une gare sans voyageurs, sans train, sans poinçonneur, sans contrôleur, sans aiguillage. Comme la plus grande gare du monde que l'on aurait construite sur l'eau, gratuitement, pour zéro, sans rails autour, qui ne compterait pour rien. Une usine désaffectée. Un cadavre si lourd que les milliers d'hommes groupés sur la passerelle et ses abords ne parviendraient pas à l'enterrer. Il faudrait s'enfoncer dans la boue. Toucher le fond. Autour des bancs désertés pour l'occasion – l'événement a lieu plus loin –, les jeunes se tiennent en cercle. Ils n'assistent pas au spectacle.

De la même manière qu'ils n'ont jamais porté d'intérêt aux bâtiments en construction, ils se méfient de ce que l'on détruit. Un surplace que je ne méprise plus. Ils se tapent l'épaule, miment un début de baston. Ça dégénère. Ça cogne sec sur le plus chétif, forcément, qui a vite fait de se trouver à terre, épaules au sol. Il regarde le ciel. Il crie Non, putain, lâchez-moi. Quelques voisins menacent d'appeler la police. La bande s'éloigne. Et parmi les têtes sortant des encadrements de fenêtre, la petite victime m'aperçoit. Il me reconnaît. Crie mon nom. Putain regardez la couille molle, à la fenêtre, là, c'est A., c'est lui, il est chez lui.

La bande se regroupe instantanément. Leurs visages m'accusent. Quelqu'un leur a menti. Je ne sais pas qui. Apparemment, ils me croyaient parti. Quelqu'un les a dupés pour me protéger, j'imagine, et leur besoin de vengeance a pris le temps de grandir. Ils ont envisagé ce moment où ils me retrouveraient. Et ce jour est arrivé.

Je ferme la fenêtre. J'esquive. J'espère vainement, à cause de la hauteur, qu'ils ne m'ont pas vraiment reconnu. Ils se méprennent. Ce n'est pas moi. Après tant de temps, ils ne concevront pas que ce soit moi. Un ressort fourré dans le canapé larde mon dos. Des coussins, il ne reste que le tissu. La maille, la corde. Le rembourrage était pourtant prisonnier de la toile. Les coutures assez robustes pour contenir les plumes sur lesquelles on s'asseyait, on faisait l'amour avec A., on se touchait la main, avec ma mère, on recevait les invités, on parlait travail et télévision avec mon père. Avec le temps, le sofa s'est vidé. Si bien que le corps, désormais, cogne l'armature. À moins que ce ne soit lui, le corps, qui ait maigri jusqu'à l'os et fracasse le bitume pourvu qu'on le jette à la rue comme on lâche un rideau de fer.

Ça bourrine à la porte. Inutile de chercher l'identité des voleurs. Maintenant qu'ils ont mis la main sur moi, maintenant qu'ils ne doutent plus de l'identité du mec à la fenêtre et de sa mascarade. Malgré les exercices musculaires et les repas dans la cuisine, je me traîne comme un squelette. J'ai maigri je crois, sans m'en rendre compte, je peine à marcher mais je dois ouvrir, c'est impératif, cela ennuierait profondément mon père de faire réparer la serrure, et c'est un corps aussi lourd qu'une clef à molette que le premier d'entre eux chope par le bras dès que la porte s'entrouvre.

Son poing dur comme du béton s'encastre dans ma mâchoire. Je m'attends à pire mais le second coup ne vient pas. Le deuxième type retient le premier. Est-ce que c'est lui ? Il me crie Oh, est-ce que c'est toi ? Putain tu réponds ou quoi ? Je bredouille dans mon sang. Tu réponds ou je te cogne ? Regarde, il a la barbe, il est tout maigre. Le premier s'extirpe des mains du deuxième et n'attend pas de me reconnaître pour me flanquer un nouveau coup par-dessous le menton, plus sec, plus décidé à me clouer la bouche. Mes dents se plantent dans ma langue. Pas besoin de relever la tête pour les identifier. C'est lui, putain. Mais oui c'est lui. Ça peut être que lui ! Leur voix, leur façon de frapper précisément dans les jambes, la mâchoire ou les côtes caractérise chacun. Depuis la cour d'école c'est aussi coordonné, rapide et lâche. Je tombe sur le cul. À six ou sept contre un, c'est commode pour les remords. On divise par autant sa culpabilité de détruire un corps et sans tergiverser l'un d'eux empoigne mes cheveux. Les baffes claquent. Avec si peu de résistance c'est à se demander si je ne l'ai pas cherché. Si je ne me suis pas enfermé pour m'affaiblir à tel point que l'on puisse me soulever d'un doigt, comme maintenant, et me traîner jusque sur le linoléum de la cuisine. Alors comme ça tu t'es bien reposé, hein ? Ça t'a fait du bien ? T'as soigné ta chiasse ?

ʼour une raison inexplicable je ne perds pas onscience. Oui, c'est tout noir autour de moi, ai les yeux crevés ou clos, je n'en ai aucune lée, j'ai mal comme jamais mais la constance e la douleur partout dans le corps empêche haque nouveau coup d'augmenter le volume du urlement total et continu que je pousserais si ıa gorge avait résisté à l'attaque.

Tu t'es foutu de nous ? Tu voulais plus voir nos ueules ? T'es un merdeux, tu sais, un petit ıerdeux de rien du tout qui se croit plus intelli- ənt que les autres, qui fait son bordel parce qu'il croit au-dessus de tout alors que c'est pareil our nous : oui on a supporté ta gueule des nnées, oui on a supporté le quartier pareil que i, mais c'est toi, justement, qui fous la merde ıtre nous, là, dans la bande. Parce que, avant, ça lait. Tu t'en rendais pas forcément compte mais moins, voilà, on était ensemble. On pouvait ir. Mais t'es qu'une vieille merde, voilà. T'es pas ec nous et c'est depuis le début qu'on aurait dû casser la gueule. On aurait dû se méfier.

À l'intérieur, c'est la fin du passage à tabac ıdis que la cérémonie prend fin sur le trottoir. s de verre d'adieu. Des invitations à dîner, urtant, sont lancées, comme après chaque toire, comme après celle de mon père le jour son exposé, mais l'envie reste plate. On dit ıi sans convenir d'un horaire ou de ce qu'il ıt apporter. Un soir comme ça, on est mieux rrière ses volets baissés. On ne peut pas ınger dans la honte collective.

Il y avait peut-être quelque chose à faire pou
sauver l'usine. Sans doute n'y est-on pas allé asse
fort. Protester, ameuter, fédérer. On aurait p
élargir le cercle des condamnés, haranguer, ma
sur l'île, on savait que les autres ouvriers du pa
ne nous considéraient pas tout à fait comme eu
Nous, les privilégiés avec un cœur pas vraime
comme les autres, en losange. La faiblesse d
pouvoir insulaire. Les villes n'admettent pas l
blessures et nous sommes la plaie.

Il faudrait en finir, rebondir, panser pour
bon. Prendre le quai, suivre les voitures qui
dirigent vers le sud. Chercher un soleil moi
froid, plus tranquille. Le renouveau. Le nouve
départ que prennent les vieux quand ils n'o
plus rien à faire, qu'ils ont épargné toute le
vie pour s'installer plus bas sur la carte. Mais
n'est que mensonge. Plus près de la mer le br
est le même – à la seule différence qu'avec
temps, l'ouïe s'affaiblit.

Il y aura toujours un klaxon, une dispute en
voisins.

Il y aura toujours une alerte à la mort, u
tondeuse un dimanche, un jeune égaré, loin
la grande ville mais près d'une falaise où le
d'une solitude rappellera la résonance d'u
colonne à ordures.

C'est peut-être le moment de partir. De so
la voiture du garage ou la dernière poube
mais plus loin, pour peu que l'on ait conn
longtemps le pays du losange, les terres mo
peuplées n'auront l'air que d'un terrain meu

inconstructible où tout nouvel édifice, toute soi-disant nouvelle vie ne seraient qu'objets de consolation. Comme si nous en avions trop vu nous ne voulons plus voir. Comme si nous en avions trop entendu nous ne voulons plus rien entendre. On nous promettrait un nouveau départ qu'on s'enfermerait d'avance pour s'étriper. Pour ne pas vivre plus. Un autre début, encore un mensonge.

Dans la même collection

Ariel Kenig
Camping Atlantic

Le bel Adonis n'a rien d'un campeur. Apéritifs entre voisins, tentes e caravanes, disputes familiales, assiettes en plastique et linge qui pend. C'est dans ce joyeux décor que le jeune homme retrouve son frère aîne Avec cet allié redoutable, l'été sera la saison de toutes les révoltes.

« Entre deux remarques assassines sur l'*homo caravanus*, Adon fomente la plus belle des rébellions fraternelles. » LIBÉRATION

« Dans un style épuré, Ariel Kenig offre un premier roman à la fo sensible, angoissant et subtilement orchestré. » GLAMOUR

JL 8655

Je remercie les nombreuses personnes qui m'accompagnent et me soutiennent, de près ou de loin, en amitié, en gestes, en amour, en pensées. Je vous compte sur les doigts.

www.arielkenig.com

DANS LA MÊME COLLECTION

Renaud Ambite	Sans frigo	659
Anthologies sous la direction de Sarah Champion	Disco biscuits	529
	Disco 2000	579
Asia Argento	Je t'aime Kirk	63
Ayerdhal	Demain, une oasis	56
Mehdi Belhaj Kacem	Cancer	51
Karin Bernfeld	Alice au pays des femelles	63
Bessora	Cinquante-trois centimètres	59
–	Les taches d'encre	63
Vincent Borel	Un ruban noir	57
Grégoire Bouillier	Rapport sur moi	72
Poppy Z. Brite	Le corps exquis	52
Arnaud Cathrine	Les yeux secs	51
Guillaume Chérel	Les enfants rouges	65
Valérie Clo	Encore un peu de patience	68
Collectif	10 ans, 10 auteurs, 10 nouvelles	86
Bernard Comment	Même les oiseaux	55
Florent Couao-Zotti	Notre pain de chaque nuit	55
Dominique Cozette	Quand je serai jamais grande	69
Virginie Despentes	Baise-moi	52
–	Les chiennes savantes	4
–	Les jolies choses (prix de Flore 1998)	5
Ilan Duran Cohen	Chronique alicienne	5
–	Le fils de la sardine	7
Audrey Diwan	La fabrication d'un mensonge	8
Guillaume Dustan	Nicolas Pages (prix de Flore 1999)	5
–	Génie divin	6
Dave Eggers	Une œuvre déchirante d'un génie renversant	6
Patrick Eudeline	Ce siècle aura ta peau	6
Rochelle Fack	Les gages	5
Éric Faye	Parij	5
Emmanuel Fille	Arthur la balade du perdu	4
Tibor Fischer	Sous le cul de la grenouille	5

Claire Frédric	Kérosène	4578
–	La môme	4862
–	Mirror	5467
legor Gran	Ipso facto	5151
–	Acné Festival	6058
Thomas Gunzig	Il y avait quelque chose dans le noir qu'on n'avait pas vu	5542
–	À part moi, personne n'est mort	6159
Scott Heim	Mysterious Skin	8431
Michel Houellebecq	Extension du domaine de la lutte	4576
–	Les particules élémentaires	5602
	Poésies	5735
ean-Claude Izzo	Les marins perdus	4841
ophie Jabès	Alice, la saucisse	7554
	Caroline assassine	7926
	Clitomotrice	8255
hilippe Jaenada	Le chameau sauvage (prix de Flore 1997)	4952
	La grande à bouche molle	6493
riel Kenig	Camping atlantic	8655
	La pause	8747
ohn King	Football factory	5297
enis Lachaud	La forme profonde	7292
adrien Laroche	Les orphelins	8087
ola Lafon	Une fièvre impossible à négocier	7485
uad Laroui	Les dents du topographe	5539
trick Lapeyre	La lenteur de l'avenir	2565
ic Le Braz	L'homme qui tuait des voitures	6651
uillaume Le Touze	Dis-moi quelque chose	6968
	Tu rêves encore	8223
aire Legendre	Making of	5469
arie-Dominique Lelièvre	Martine fait du sentiment	5802
omas Lélu	Je m'appelle Jeanne Mass	8256
non Liberati	Anthologie des apparitions	8107
scal Licari	Grande couronne	5154
n-Marc Ligny	Jihad	5604
thias Malzieu	Maintenant qu'il fait tout le temps nuit sur toi	8136
trícia Melo	O Matador	5361

Nick McDonell	Douze	784
–	Le troisième frère	857
Pierre Mérot	Mammifères	774
Francis Mizio	Domo dingo : la vie domotique	560
–	L'Agence Tous-Tafs	627
Hélène Monette	Unless	547
Cyril Montana	Malabar trip	803
–	Carla on my mind	854
Bernard Mourad	Les actifs corporels	840
Maxime-Olivier Moutier	Risible et noir précédé de Potence Machine	553
Valérie Mréjen	Trois quartiers	771
Philippe Nassif	Bienvenue dans un monde inutile	688
Lorette Nobécourt	La démangeaison	490
–	Substance	648
Nicolas Pages	Je mange un œuf	75
Christophe Paviot	Les villes sont trop petites	61
–	Le ciel n'aime pas le bleu	68
Pascal Pellerin	Tout m'énerve	60
–	Tout va bien	67
Daniel Picouly	La lumière des fous	47
Philippe Pollet-Villard	L'homme qui marchait avec une balle dans la tête	85
Bénédicte Puppinck	Satine	83
Cyrille Putman	Premières pressions à froid	79
Vincent Ravalec	Cantique de la racaille (prix de Flore 1994)	41
–	Vol de sucettes, Recel de bâtons	45
–	La vie moderne	48
–	Nostalgie de la magie noire	51
–	Un pur moment de rock'n roll	42
–	Treize contes étranges	5
–	L'effacement progressif des consignes de sécurité	6
Nicolas Rey	Treize minutes	5
–	Mémoire courte	6
–	Un début prometteur	7
–	Courir à trente ans	8
Corinne Rousset	Ils ont changé ma chanson	7
Anna Rozen	Plaisir d'offrir, joie de recevoir	5
–	Méfie-toi des fruits	6

Ryu Murakami	Les bébés de la consigne automatique	5024
Régis de Sa Moreira	Pas de temps à perdre	6786
Ann Scott	Asphyxie	4893
-	Superstars	6194
-	Le pire des mondes	7628
-	Héroïne	8205
Minna Sif	Méchamment berbère	5470
Nicola Sirkis	Les mauvaises nouvelles	8430
Valérie Tong Cuong	Où je suis	7873
-	Ferdinand et les iconoclastes	7874
lain Turgeon	Gode blessé	5538
ouis-Stéphane Ulysse	Toutes les nouvelles de mon quartier intéressent le monde entier	4577
	La mission des flammes	4953
écile Vargaftig	Frédérique	3773
lain Wegscheider	Mon CV dans ta gueule	6279
lorian Zeller	Neiges artificielles	7318
	Les amants du n'importe quoi	7319
uc Ziegler	Damnation	4901

NOUVELLE GENERATION

8747

Composition Nord Compo
Achevé d'imprimer en France (Malesherbes)
par Maury-Imprimeur
le 4 août 2008.
Dépôt légal août 2008. EAN 9782290007488

Éditions J'ai lu
87, quai Panhard-et-Levassor, 75013 Paris
Diffusion France et étranger : Flammarion